GIULIO CESARE GIACOBBE

Alla ricerca
delle coccole perdute

*Una psicologia rivoluzionaria
per il single e per la coppia*

PONTE ALLE GRAZIE

Per contattare l'autore: www.giuliocesaregiacobbe.org

Ponte alle Grazie è un marchio
di Adriano Salani Editore s.u.r.l.
Gruppo editoriale Mauri Spagnol

Prima edizione: settembre 2004
Seconda edizione: aprile 2006
Terza edizione: novembre 2008
Quarta edizione: agosto 2014
Seconda ristampa: maggio 2016
Terza ristampa: luglio 2017
Quarta ristampa: aprile 2018
Quinta ristampa: giugno 2019
Sesta ristampa: luglio 2020
Settima ristampa: settembre 2021

A mia figlia Dafne
che ama il suo papà
senza volerlo
e soprattutto senza saperlo

Introduzione

La solitudine, l'insicurezza, l'incertezza, lo squilibrio, il disagio, il disadattamento, l'insoddisfazione, la sofferenza, la paura, l'angoscia, il panico, l'infelicità, oggi sono molto diffusi, nelle società ricche.

Perché?

Questi sono stati d'animo tipici dei *bambini*.

I bambini sono incapaci di sopravvivere, di affrontare le difficoltà da soli.

Hanno bisogno dell'assistenza continua dei genitori.

Per questo, soffrono continuamente di questi stati d'animo *depressivi*.

Ma com'è che questi stati d'animo depressivi sono presenti anche negli adulti?

Perché nelle società ricche gli adulti rimangono bambini.

Non crescono.

Non diventano adulti.

Gli crescono i peli sotto le ascelle e anche in altri posti ancora meno fini, ma rimangono bambini dentro.

Dentro, si sentono ancora bambini.

E si comportano come tali.

E quindi soffrono perché si sentono soli, abbandonati, non curati, non difesi, non amati, non coccolati.

Nelle società ricche è molto difficile, diventare adulti.

Per diventare adulti bisogna infatti imparare ad affrontare da soli tutte le difficoltà della vita.

Bisogna imparare a *sopravvivere*.

E per farlo, bisogna *lottare*.

Ma chi, deve lottare per sopravvivere, nelle società ricche?

I nostri giovani rampolli di venti, trenta e persino quarant'anni, tutti laureati, tutti disoccupati, tutti sposati in giovane età, passati dalla mamma alla moglie o dalla mamma al marito, quando mai hanno dovuto affrontare da soli le difficoltà della vita?

Quando mai hanno dovuto lottare per sopravvivere?

Quando mai hanno potuto diventare adulti?

Adulti sono i bambini extracomunitari di sedici, quattordici, persino dodici anni, che ci puliscono i vetri ai semafori, che ci vendono i fazzoletti di carta nelle strade, che ci vendono i fiori nei ristoranti.

Essi sono capaci di togliere le mutande ai nostri "bambini" trentenni e laureati senza nemmeno levargli i pantaloni e senza nemmeno che quelli se ne accorgano.

Sono adulti perché lottano per sopravvivere.

Sono adulti perché hanno imparato a sopravvivere.

Sanno ancora giocare, naturalmente.

Sono ancora bambini, quando possono.

Ma sono anche adulti, quando bisogna, cioè quasi sempre.

Ma cosa significa questo?

Deciditi, mi dirai tu, sono dunque bambini o adulti?

Tutt'e due, mia/o cara/o, tutt'e due![1]

---

[1] Questo saggio riprende l'usanza, già proposta dall'autore in *Come smettere di farsi le seghe mentali e godersi la vita* (Ponte alle Grazie, Milano, 2003), di rivolgersi sia agli uomini sia alle donne nella convinzione che è ora di finirla di rivolgere sempre i libri soltanto agli uomini. Maschilisti maledetti! Nota la sottigliezza: in questo libro prima c'è il femminile e poi il maschile. La rivincita delle donne!

Eh, sì, perché noi non abbiamo una sola, ma *diverse personalità*.
A meno che non siamo dei poveri nevrotici.[2]

Ti sei mai accorto che tu ti comporti diversamente con i tuoi genitori (e magari diversamente con l'uno e con l'altro), con i tuoi amici, con i tuoi colleghi, con i tuoi superiori, con le autorità, con i bambini, con gli animali?
E che magari con la stessa persona ti comporti diversamente se sei in casa, in strada, in ufficio, al cinema, o a un ricevimento?
Per ogni contesto e per ogni persona tu hai un *comportamento diverso*.
Con alcune persone e in alcuni contesti ti senti superiore, con altri inferiore, con altri alla pari.
E questo accade indipendentemente dalla tua volontà, a volte persino dalla tua consapevolezza.
Perché?
Perché noi non abbiamo una sola personalità, ma molte.[3]

noi abbiamo non una sola ma molte personalità

[2] La nevrosi è caratterizzata dall'unicità della personalità, ripetitiva e coatta: appunto la personalità nevrotica.

[3] La molteplicità delle personalità presenti in uno stesso individuo umano fu già posta in rilievo da William James nel 1890 (*Principles of Psychology*) e poi ripresa nel secolo successivo (1965) da Roberto Assagioli, il fondatore della psicosintesi (cfr. *Psychosynthesis. A manual of Principles and Techniques*, 1965; trad. it. *Principii e metodi della psicosintesi terapeutica*, Astrolabio, 1973). Ancora recentemente (1979) Bandler e Grinder, i fondatori della Programmazione Neurolinguistica (PNL), hanno affermato che la personalità multipla è «un nuovo passo nell'evoluzione della specie umana» (*Frogs into Princes. Neuro Linguistic Programming*, 1979; trad. it. *La metamorfosi terapeutica*, Astrolabio, 1980, pag. 173).

Queste nostre molte personalità non sono altro che nostri *adattamenti all'ambiente*, più precisamente alle diverse situazioni ambientali.

Se ci troviamo di fronte ad una nuova situazione, noi proviamo ad usare un certo comportamento e se questo non ci dà i risultati voluti, noi ne proviamo un altro, e poi eventualmente un altro ancora e così via, finché troviamo il comportamento per noi vincente.

Questo metodo istintivo di soluzione delle situazioni ambientali nuove, comune anche agli animali, si chiama *comportamento per prova ed errore*.

Esso viene usato anche nella ricerca scientifica.

È un metodo empirico, ma funziona.

Una volta trovato il comportamento vincente, o che comunque ci assicura un minimo di difesa o di controllo dell'ambiente, esso viene da noi memorizzato ed associato con quella situazione, e sistematicamente usato tutte le volte che ci troviamo di fronte a quella situazione o ad una simile.

A volte non si tratta proprio di un comportamento vincente, ma soltanto di un comportamento a cui quella situazione ci obbliga, come nel caso in cui siamo vittime di un'aggressione e ci tocca subire e comunque ridurre al minimo le perdite.

In ogni caso noi siamo portati ad assumere *automaticamente* tale comportamento con quella situazione, spesso senza rendercene conto.

E se ce ne rendiamo conto, abbiamo una grande difficoltà, a cambiare comportamento.

Possiamo dire che ogni nostro comportamento adattivo alle diverse situazioni ambientali costituisce una *personalità*.

Quindi in ogni situazione noi viviamo automaticamente una personalità diversa.

In alcuni casi ci sentiamo dominanti, potenti, vincenti.

In altri, impotenti, passivi, dominati.

In altri ancora, capaci di trattare, di giocarci il nostro ruolo e la nostra posizione.

Le nostre personalità, senza che ce ne rendiamo conto e magari senza che lo vogliamo, dirigono automaticamente il nostro comportamento, le nostre reazioni, i nostri pensieri, le nostre emozioni e le nostre azioni.

Sono personalità che noi abbiamo visto assumere da altre persone in contesti analoghi e che abbiamo memorizzato, magari da bambini.

Quindi personalità molto radicate in noi, come tutte le memorizzazioni che effettuiamo da bambini, quando la nostra memoria è molto ricettiva.

Queste personalità risiedono nella nostra memoria e sono pronte a balzare in primo piano e divenire operative tutte le volte che ci troviamo in una situazione analoga a quella nella quale le abbiamo memorizzate.

Quindi sono *le diverse situazioni ambientali* ad attivare le nostre diverse personalità, magari senza che noi stessi ce ne rendiamo conto.

**sono le diverse situazioni ambientali
ad attivare le nostre diverse personalità**

E sono le nostre diverse personalità a determinare il nostro *comportamento*, compreso il nostro pensiero e i nostri sentimenti.

Cioè sono le personalità dentro di noi, che dirigono la nostra vita.

sono le personalità dentro di noi, che dirigono la nostra vita

Spesso queste personalità si manifestano nella nostra mente cosciente sotto forma di immagini, o meglio di *auto-immagini*.

È l'autoimmagine che abbiamo di noi stessi in quel momento, in quella situazione, che determina le nostre reazioni, i nostri pensieri, le nostre emozioni, i nostri comportamenti.[4]

Spesso noi non siamo coscienti dell'autoimmagine che abbiamo di noi stessi in un dato momento, ma la nostra autoimmagine è sempre presente dentro di noi, nel nostro inconscio.

Perché *ad ogni nostra personalità corrisponde una nostra autoimmagine.*

ad ogni nostra personalità corrisponde una nostra autoimmagine

Possiamo infatti definire *una personalità* una nostra specifica *autoimmagine* la quale dà luogo ad un nostro specifico comportamento.

Fra tutte le personalità che sono memorizzate dentro di noi e che noi possiamo assumere, ce ne sono tre che sono fondamentali e che sono comuni a tutti noi e persino agli

---

[4] Questo fatto, indubbiamente fondamentale per la psicologia umana, era già stato scoperto nel III sec. a.C. da Patanjali, l'autore del trattato classico dello Yoga indiano, lo *Yoga Sutra* (cfr. il mio libro, La psicologia dello Yoga (lettura psicologica degli Yoga Sutra di Patanjali), ECIG, Genova, 1994, pagg. 42-44).

animali: sono le *personalità naturali* del **bambino**, dell'*adulto* e del **genitore**.[5]

Queste sono le personalità che noi assumiamo, o che dovremmo assumere, con uno sviluppo *psichico* organico e completo nel corso del nostro sviluppo *biologico*.

Sono le personalità che noi usiamo, o che dovremmo usare, nelle diverse situazioni ambientali come nostre efficienti *risposte adattive all'ambiente*.

In questo saggio tratto di queste tre personalità naturali, della loro formazione, del loro sviluppo e della loro inibizione nevrotica, dimostrando come quest'ultima costituisca la base di tutte le nevrosi non traumatiche.

Quindi da una parte mi rivolgo agli specialisti con la proposta di *un nuovo indirizzo diagnostico e terapeutico* che definisco *evolutivo*.

In questo senso questo è un **trattato scientifico di psicoterapia evolutiva**.

Dall'altra mi rivolgo alle persone comuni affinché pren-

---

[5] Già Eric Berne ha colto la differenziazione comportamentale fondamentale nelle tre personalità del *bambino* (*Child*), dell'*adulto* (*Adult*) e del *genitore* (*Parent*) e ha fondato su di essa una teoria della dinamica dei rapporti (transazioni) interpersonali che ha denominato «analisi transazionale», la quale ha avuto il merito di chiarire molti aspetti della comunicazione umana ed ha riscosso un notevole successo nell'ambito della cultura anglosassone, specie in campo aziendale (cfr. *Transactional Analysis*, 1961; trad. it. *Analisi transazionale*, Astrolabio, 1971). Il presente saggio, che accoglie come reale e fondamentale la differenziazione comportamentale evidenziata da Berne, si dedica tuttavia all'approfondimento dell'analisi della personalità individuale *indipendentemente* dai rapporti interpersonali, già accennata ma non sviluppata da Berne, evidenziando come il mancato sviluppo delle tre personalità naturali costituisca la base della nevrosi.

dano coscienza e conducano a compimento la loro *evoluzione psicologica personale*.

In questo senso questo è un **manuale divulgativo di psicologia evolutiva**.

Non gli ho però dato nessuno di questi due serissimi titoli ed ho mantenuto una forma colloquiale per arrivare al maggior numero possibile di persone, nella convinzione che è più vantaggioso per l'umanità che un libro venga letto da mille persone comuni che da due specialisti.

Se poi questi due specialisti si vorranno degnare di leggerlo e di metterlo in pratica avremo un cambiamento radicale della psicoterapia e finalmente la guarigione di una nevrosi diffusissima: la *nevrosi ansioso-depressiva*.[6]

---

[6] Questo saggio non è il risultato di una riflessione a tavolino, ma di una pratica clinica che si protrae da oltre dieci anni. La sua stessa genesi è avvenuta in ambito clinico, avendo io riscontrato che dietro le nevrosi più diffuse, e in particolare dietro la nevrosi ansioso-depressiva, vi è sistematicamente una *personalità infantile* e che lo sviluppo della personalità adulta porta sistematicamente all'eliminazione dei sintomi e alla soluzione della sindrome. Nel corso dei dieci anni in cui ho sperimentato la psicoterapia evolutiva qui esposta (utilizzando tecnicamente l'ipnosi suggestiva recentemente rilanciata dalla Programmazione Neurolinguistica ma già nota ed usata in Psicosintesi) ho ottenuto infatti sistematicamente guarigioni apparentemente "miracolose" ma in realtà semplicemente dovute al cambio della personalità, da quella debole e sede di tutte le paure del bambino a quella forte e sicura di sé dell'adulto, a quella capace di accettare ed amare del genitore.

Bambini, adulti e genitori

Tutti i mammiferi percorrono nel corso della loro vita un'*evoluzione naturale* che presenta *tre fasi*: il **cucciolo**, l'**adulto**, il **genitore**.

Il cucciolo è caratterizzato dalla *non autosufficienza*.

L'adulto è caratterizzato dall'*autosufficienza*.

Il genitore è caratterizzato dalla *dedizione* ai cuccioli.

La non autosufficienza procura al cucciolo uno *stress*, cioè uno stato di *paura cronica*.

Possiamo facilmente vederlo negli animali che teniamo con noi nelle nostre case: quando sono cuccioli, fuggono e si nascondono al minimo pericolo.

Lo stato di *cucciolo* è dunque caratterizzato da uno stato soggettivo di *paura cronica*, di *bisogno di protezione*, di *dipendenza* dal genitore.

In natura gli animali genitori insegnano ai loro cuccioli i *comportamenti atti alla sopravvivenza*, dopo di che li abbandonano e in tal modo i cuccioli diventano *adulti*.

L'autonomia nel procurarsi il cibo e nel sopravvivere ai pericoli ambientali pone fine nell'adulto allo stato cronico di paura caratteristico del cucciolo.

L'animale adulto avrà paura soltanto nei casi in cui la

sua sopravvivenza è *davvero* posta in pericolo e saprà provvedervi da solo, senza l'aiuto dei genitori.

Avrà un suo *territorio* sul quale riuscirà ad istituire un *controllo* attraverso la *competizione* e la *prevaricazione*.

Sarà in definitiva *autosufficiente*.

L'attenzione e le energie dell'adulto sono tuttavia concentrate sulla propria sopravvivenza: egli non è disponibile a dedicarsi agli altri.

La presenza dei cuccioli mette in moto nell'animale adulto l'*istinto di dedizione*: oltre che alla propria sopravvivenza egli si dedica anche alla sopravvivenza dei cuccioli.

Assume così il comportamento del *genitore*.

Nei mammiferi, l'istinto di dedizione ai cuccioli è particolarmente forte nelle *femmine*.[1]

Il comportamento di *genitore* presuppone comunque nell'adulto uno stato soggettivo di *sicurezza di sé*, ossia l'assunzione di un totale *controllo del territorio* e quindi uno stato di consolidamento del suo comportamento di adulto.

Nessun cucciolo è in grado di provvedere alla sopravvivenza di altri cuccioli, in quanto non è neppure in grado di provvedere alla sopravvivenza di se stesso.

Soltanto l'adulto, rafforzato nella sua capacità di autosufficienza e quindi nel suo ruolo di adulto, è capace di attivare il comportamento di *genitore*.

Una volta emancipati e quindi abbandonati i cuccioli, l'istinto di dedizione e quindi il comportamento di genitore viene meno e si ripristina il comportamento di adulto.

---

[1] Nei mammiferi la natura ha ripartito i compiti di assistenza alla prole fra genitori femmine e genitori maschi (quando sono presenti) in questo modo: le femmine si dedicano all'allevamento della prole, i maschi al procacciamento del cibo e alla difesa del nucleo familiare.

Le tre fasi dell'evoluzione naturale non sono irreversibili: esse costituiscono altrettanti *modelli comportamentali* che possono essere adottati a seconda delle circostanze.

Se animali adulti che fino a un momento prima avevano adottato un comportamento di adulti o di genitori si trovano in un ambiente protetto e si istituisce fra loro una condizione di *gioco* (ossia di *simulazione* di una situazione tipicamente adulta, come ad esempio la caccia o lo scontro), essi sono capaci di assumere comportamenti tipici del *cucciolo*, come l'emulazione, l'obbedienza, la sottomissione.

Ciò avviene in particolare nei mammiferi che vivono in branco.

Se si trovano invece in un ambiente aggressivo, gli animali istituiscono fra loro una relazione di collaborazione o di competizione, ma comunque il modello comportamentale da essi assunto è quello di *adulto*.

Se un animale adulto si trova in presenza di un cucciolo bisognoso di aiuto, tende ad assumere il modello comportamentale di *genitore*.

Abbiamo dunque due

DATI NATURALI FONDAMENTALI

1 Gli animali seguono un'*evoluzione naturale che va dallo stato di cucciolo* a quello di *adulto*, a quello di *genitore*.

2 Compiuta l'evoluzione naturale, i comportamenti relativi a tali stati sono *intercambiabili fra loro* a seconda della situazione ambientale.

Abbiamo quindi

TRE MODELLI COMPORTAMENTALI NATURALI

1 CUCCIOLO
2 ADULTO
3 GENITORE

Da un'analisi di essi possiamo costruire il seguente schema.

modello	stato soggettivo	stato oggettivo
CUCCIOLO	paura, bisogno di protezione, dipendenza	non autosufficienza
ADULTO	indipendenza, competizione, prevaricazione	autosufficienza
GENITORE	sicurezza di sé, attenzione ai cuccioli	dedizione

Gli esseri umani seguono, al pari degli animali, questa evoluzione naturale.

Quindi possiamo dire che ognuno di noi ha *dentro di sé* queste tre distinte personalità, perché le ha viste intorno a sé nella propria infanzia e quindi *le ha registrate nella propria memoria*.

ognuno di noi ha dentro di sé
un BAMBINO, un ADULTO, un GENITORE

Deve soltanto imparare a viverli.

Negli animali le tre personalità naturali si attivano spontaneamente, semplicemente in presenza delle condizioni ambientali adatte.

Nell'essere umano, invece, a causa dell'evoluzione della *neocorteccia cerebrale* che introduce nello psichismo umano la variabile dell'*affettività*, esse sono il risultato di un'*evoluzione affettiva*.

L'evoluzione affettiva si evidenzia nel *comportamento*.

Vi sono tre diversi *comportamenti fondamentali*, che caratterizzano rispettivamente, negli esseri umani, il bambino, l'adulto e il genitore:

> ***il bambino chiede***
> ***l'adulto prende***
> ***il genitore dà***

Così vi sono ancora tre *modalità di relazione sociale* caratterizzanti ciascuna ogni singola modalità:

> ***per il bambino: dipendenza***
> ***per l'adulto: parità***
> ***per il genitore: superiorità***

Così ancora vi sono tre modi di rapportarsi alle coccole:

> ***il bambino ha sempre bisogno***
> ***che qualcuno gli faccia le coccole***
> ***l'adulto si fa le coccole da solo***
> ***e non ha bisogno di nessuno***
> ***il genitore è l'unico capace di fare le coccole agli altri***

Ma sarà bene esaminare in dettaglio le tre personalità evolutive naturali dell'essere umano, per chiarirci bene di cosa stiamo parlando.

Ad esse sono dedicati i prossimi tre capitoli.

La personalità del bambino

Aspetti negativi

Il bambino è la persona più sfigata dell'universo.

E, tragicamente, lo sa.

Quando senti qualcuno che ti dice che è sfigato, che il mondo ce l'ha con lui, che lui è il più sfigato dell'universo, sappilo, ti sta parlando un bambino.[1]

Se ha meno di dodici anni, è normale.

Se ha più di dodici anni è preoccupante.

Se ne ha più di diciotto è tragico.

Se ne ha più di venti è un casino (una volta bastava avere quattordici, massimo sedici anni, per diventare un

---

[1] Al primo depresso che incontrai nella mia pratica clinica, il quale mi disse di essere il più sfigato dell'universo, dissi: «Non è vero, c'è gente più sfortunata di lei». Lui mi rispose incazzato: «Lei è un cretino! Non ha capito niente!» Aveva ragione: gli avevo negato la possibilità di sentirsi qualcuno almeno nella sfiga. Da allora, quando mi si presenta un depresso che mi dice di essere il più sfigato dell'universo, gli dico: «Ha ragione. Anzi, secondo me, il Padreterno ha creato l'universo al solo scopo di fregare lei». È quella che si chiama «inflazione cognitiva». Funziona. Sistematicamente il depresso mi risponde che esagero e prende lui stesso a ridimensionare la sua visione pessimistica del mondo.

adulto, ma erano altri tempi: si era molto più poveri e a quattordici, massimo sedici anni si andava a lavorare).

Il problema è che il bambino è incapace di affrontare da solo la vita e le sue difficoltà, i suoi pericoli, i suoi ostacoli, le sue prove, le sue responsabilità.

È *incapace di dominare l'ambiente che lo circonda.*

il bambino è incapace di dominare l'ambiente

Perché è incapace di sopportare le *frustrazioni* che l'ambiente impone: le difficoltà, la fatica, la sconfitta, la perdita, il dolore.

il bambino è incapace di sopportare le frustrazioni

Perché *non ha sicurezza in se stesso* ed è convinto di non potercela fare.

il bambino non ha sicurezza in se stesso

Affida quindi sempre a qualcun altro il problema del proprio benessere e della propria felicità.

Dipende sempre da qualcun altro.

il bambino dipende sempre da qualcun altro

Non importa chi sia quel qualcun altro, ma una cosa è certa: deve essere sempre lo stesso e deve stare *sempre* a sua disposizione.

Cioè deve stare al suo servizio ventiquattr'ore su ventiquattro, trecentosessantacinque giorni all'anno.

Con una sola eccezione.

Quella degli anni bisestili, in cui pretendono trecento-sessantasei giorni.

Il bambino pretende infatti *una dedizione esclusiva e assoluta*.

il bambino pretende una dedizione esclusiva e assoluta

È quello che noi chiamiamo *possesso affettivo*.

Come si può vedere, la **gelosia** è una *malattia infantile*.

Ma c'è un problema: nessuno, nell'universo, è in grado di dedicare *tutto il proprio tempo* ad un bambino, per quanto carino, tenero, bisognoso sia.

Si dovrà pure mangiare, dormire, riposare, e fare tutte quelle piccole cose, anche schifose, che ci permettono di sopravvivere!

Persino le gatte, che sono fra tutte le madri dell'universo le più capaci di sacrificarsi, non ci riescono.[2]

Ogni tanto anche loro hanno bisogno di uno svago, di farsi un giro, e lasciano per un po' i gattini incustoditi, ma rimangono nelle vicinanze pronte ad intervenire in caso di pericolo.

Ma il bambino no, a lui non frega niente dei bisogni del genitore, a lui interessa soltanto sopravvivere e quindi pretende che il genitore sia sempre, senza eccezioni, al suo servizio.

---

[2] Il gatto (o meglio, la gatta), l'animale ritenuto da noi il meno altruista, il più egoista, il più menefreghista, è capace di stare tre mesi praticamente immobile ad allattare i suoi cuccioli, con pochissime e brevissime fughe per mangiare e sgranchirsi le gambe. Ti sembra importante sottolineare che tutto questo riguarda le signore gatte e non i signori gatti, i quali, assolto il loro dovere (e piacere) di mettere le signore gatte nella condizione di cui sopra, spariscono per sempre?

Una pretesa legittima, bene inteso.

Soltanto con una tale pretesa, infatti, il bambino ha qualche probabilità di sopravvivere.

Immaginatevi un bambino di uno, due, tre, o anche quattro anni, nel bel mezzo di una giungla.

Se qualcuno non si occupa di lui ci lascia la pelle.

È per questo, che il bambino ha *paura*.

La *paura* è la dimensione costituzionale del bambino.

Ed egli vive, di paura.

il bambino vive di paura

Il bambino ha paura di tutto.

Perché sa di non essere in grado di affrontare le difficoltà, le minacce, i pericoli, sa di non essere in grado di sopravvivere senza l'aiuto di qualcuno.

Anzi, di un *particolare* qualcuno.

La sfiga del bambino è che egli non solo ha bisogno di qualcuno, ma non di un qualcuno qualsiasi, bensì di un qualcuno particolare: quello che lui conosce come suo genitore o facente funzione.

E nessuno può sostituire quel qualcuno particolare.

Perché?

Perché soltanto di lui, il bambino si fida.

Soltanto da lui, il bambino sa di avere ricevuto le cure adeguate.

Da un altro, chissà?

Quindi lui vuole la presenza, l'assistenza, la protezione, le coccole, l'attenzione, la dedizione di quel qualcuno particolare e di nessun altro.

Un vero casino.

E proprio perché per un bambino la vita è un casino, egli si lamenta sempre, non è mai contento, vuole sempre una realtà diversa da quella che c'è, non accetta mai la realtà com'è perché non la sa gestire.

**il bambino non accetta la realtà com'è
e vuole sempre quello che non c'è**

Aspetti positivi

La natura ha dotato il bambino di *due armi*, per obbligare il genitore di turno a mollare tutto e correre in suo aiuto.

La prima è un *pianto* al quale forse serpenti e scarafaggi sono indifferenti ma al quale qualsiasi femmina di umano non sa resistere (il maschio può essere messo fra i serpenti e gli scarafaggi).

Il trapano del dentista al suo confronto è la Nonna di Beethoven.[3]

Quando una femmina di umano lo sente non sa se strozzarlo o cullarlo.

E qui il furbo infante sfodera la sua seconda più potente arma.

Ha un *aspetto* che farebbe intenerire anche Terminator, se fosse capace di sentimenti umani.

Piccolo, grassottello e con le guanciotte a pagnottella, gli occhiotti sgranati, la boccuccia spalancata, le braccine e le gambette a salsicciotto che si muovono a stantuffo co-

---

[3] Non ho mai capito perché Beethoven abbia dedicato una sinfonia a sua nonna invece che a sua mamma. Evidentemente era una merda (la mamma, non Beethoven), come il padre che lo ha obbligato a trascorrere l'infanzia a suonare il cembalo invece di giocare come tutti gli altri bambini, per poterlo esibire come bambino prodigio (a pagamento, naturalmente, che incassava regolarmente andandoselo poi a spendere in liquori e donnacce).

me in un allenamento di body dance, rosso come un po-
modorino per via del pianto, assomiglia troppo a Dumbo,
per strozzarlo.

Cullarlo ci sembra senz'altro la soluzione migliore.

Anche perché l'operazione funziona.

Appena lo prendi in braccio, smette.

Non solo, ma ti guarda con quegli occhietti tirabaci e ti
sorride felice.

A questo punto ti ha fregato.

Perché da quel momento in poi il prenderlo in braccio
diventa un riflesso condizionato.

E lui si è salvato la pelle.

Il bambino ha inoltre dalla sua non soltanto le due armi di
cui ho detto sopra, il trapano vocale e un corpicino che ti
viene voglia di mangiarlo (e qualcuno se lo è anche mangiato, ma questa è un'altra storia), ma anche *due comportamenti* particolari che ti fanno venire voglia di aiutarlo.

Il primo è che si fa piccino piccino.

Già lo è piccino piccino, fisicamente.

Ma lui si fa piccino piccino anche *psicologicamente*.

Ti guarda dal basso all'alto (è inevitabile che un bambino ti guardi dal basso all'alto, a meno che tu non ti
sdrai per terra o non lo metta sulla tavola: ma che razza
di mamma sei, se fai delle cose del genere?) con due occhietti imploranti che commuoverebbero anche la signora
Thatcher (anche lei sarà stata mamma? mah!?).

Ecco la sua arma segreta (del bambino, non della signora Thatcher)!

L'*umiltà*!

La capacità di *sottomettersi*!

il bambino è capace di sottomettersi

L'hai mai visto un cane quando si mette con la pancia all'aria?

(Come mai si mette con la pancia all'aria e non con il sedere? Riflettici.)

È il suo modo di sottomettersi, di dichiararsi sconfitto, di farsi bambino.

Chi ce la fa a strozzare un bambino di due anni che ti ha appena gettato l'anello di fidanzamento nel cesso e ti guarda con due occhietti da bassotto e un sorriso da paperino e ti dice: «Pum! Anello cacca»?

Il padre, più ragionevole, forse ce la farebbe, a strozzarlo, ma dato che l'anello non è il suo (e chi ha mai regalato un anello di fidanzamento ad un uomo?), se ne frega.

Risultato: ci hai rimesso un anello ma ci hai guadagnato un figlio. (Qualche madre snaturata pensa di averci perduto nel cambio, ma è appunto snaturata.)

La capacità di sottomissione ha degli importantissimi risultati comportamentali, utilissimi ed anzi indispensabili nei rapporti umani: la capacità di chiedere scusa, la capacità di chiedere perdono e la capacità di chiedere aiuto.

il bambino è capace di chiedere scusa

il bambino è capace di chiedere perdono

il bambino è capace di chiedere aiuto

Chi non è capace di chiedere scusa, di chiedere perdono, di chiedere aiuto, cioè di farsi bambino quando la situazione lo richiede, non soltanto è un povero nevrotico, ma è anche povero come essere umano.

Il secondo comportamento tipico del bambino, che ti fa venire voglia di tornare bambino anche tu, è il *gioco*.

il bambino è capace di giocare

Il bambino gioca sempre.

Ma cosa è il gioco?

Il gioco è la simulazione della realtà, ma di una realtà che il bambino è in grado di dominare e quindi di una realtà attenuata, edulcorata, sterilizzata, sdrammatizzata, resa innocua, e quindi priva di tensione.

Ma per il bambino il gioco non è finto.

Per il bambino il gioco è la realtà, perché è l'unica realtà nella quale egli riesce a sopravvivere.

Nell'altra, nella realtà vera, egli non sopravvivrebbe.

Nella realtà del gioco, invece, dove è lui che stabilisce le regole adattate alle sue capacità, egli riesce a dominare, esattamente come gli adulti dominano la realtà vera.

Il gioco è la costruzione di un mondo fantastico dove il bambino, che non sa dominare il mondo reale, domina.

Ed ecco che allora il gioco diventa sogno, fuga, avventura, utopia, divinazione, trasformazione, rappresentazione visionaria del possibile.

Gioco è l'arte, gioco è la magia, gioco è la scoperta, gioco può diventare addirittura la nostra vita.[4]

---

[4] Tutte le visioni filosofiche di impronta *idealistica* hanno prospettato la vita come gioco cosmico, come proiezione mentale sostanzialmente inconsistente, come pura forma. Questa visione, forse non proprio fortissima sul piano scientifico, ha tuttavia una valenza *psicoterapeutica* notevole: la capacità di *sdrammatizzare* i colpi inferti dalla vita stessa, di farci noi dominatori di una vita che ci opprime.

Saper giocare, sapere diventare bambino con il gioco, è fondamentale, per l'adulto.

È l'arma segreta che lo sottrae alla tragedia della vita e gli permette di ridere, di scherzare, di celiare, di deridere la vita e le sue tragedie.

Chi non ha a sua disposizione questa arma segreta è perduto, è destinato ad essere sconfitto dalla tragedia della vita.

La personalità dell'adulto

Aspetti positivi

Cos'è un adulto?

Un adulto è un bambino che ha imparato a procurarsi il cibo da solo, a difendersi da solo, a sopravvivere da solo, a dominare da solo l'ambiente reale e non più soltanto quello del gioco.

Anzi, l'adulto non gioca più.

L'adulto non gioca mai.

Perché non vive più nell'ambiente del gioco ma nell'ambiente *reale*.

L'ambiente reale è *il suo territorio*.

E l'adulto *domina il suo territorio*.

l'adulto domina il suo territorio

Hai visto gli animali in natura?

Essi dominano il loro territorio e non permettono a nessun animale della loro specie di penetrarvi.

Se qualcuno vi entra lo scacciano e se non se ne va lo uccidono.

La cinciallegra (allegra per noi, non per le altre cince),

un uccellino che pesa meno di venti grammi, è uno degli animali più feroci del pianeta.

Se un'altra cincia dello stesso sesso (se è di sesso opposto se la fa) entra nel suo territorio, non pensa neppure a scacciarlo: lo uccide subito.

E per ucciderlo usa un sistema atroce.

Gli becca il cranio fino a forarglielo e da quel foro gli beve il cervello.

Carino, no?

Cinciallegra!

L'adulto è come la cinciallegra.

Ma non si beve il cervello dei suoi avversari, si limita ad ammazzarli.

Guai a chi invade il suo territorio!

Il suo territorio è sacro e solo lui deve dominarlo.

Questo significa *libertà*: non avere nessuno fra i piedi e nessuno che gli dice cosa deve fare.

Per l'adulto la sua libertà è sacra.

La libertà è il massimo dei suoi beni, è il suo *valore primario*.

la LIBERTÀ è il valore primario dell'adulto

Come difende con le unghie e con i denti la propria libertà, così l'adulto ha un rispetto assoluto della libertà degli altri.

L'adulto non ti chiederà mai cosa cavolo fai quando non stai con lui (non gliene frega niente) o cosa cavolo hai da fare quando gli dici che hai un impegno e non puoi incontrarlo (gliene frega ancora meno di niente).

Ma guai se ti permetti di chiedere *a lui* cosa cavolo fa e cosa cavolo ha da fare quando ti dice che ha un impegno!

Sono cavoli suoi!

Se insisti ti manda a quel paese e non lo vedi più.

Perché capisce che sei un maledetto bambino che attenti alla sua libertà.

L'adulto vive rigorosamente solo e non vuole nessuno fra i piedi: né mogli né mariti né figli né parenti né amici né animali né piante.

Tutte limitazioni alla sua libertà.

Che deve essere assoluta.

Perché?

Perché ormai lui ha raggiunto la più assoluta sicurezza in se stesso e quindi non ha più bisogno di nessuno, non vuole più nessuno fra i piedi.

L'adulto ha cioè trovato la *sicurezza* in *se stesso*.

l'adulto ha sicurezza in se stesso

È Tarzan, che abbandonato dai genitori (perché fortunatamente morti: fortunatamente per Tarzan, naturalmente, non per loro) ha imparato a sopravvivere da solo nella giungla, ha imparato da solo a lottare contro le belve, a procurarsi il cibo, a sopportare il caldo, il freddo, la fame, la sete, la stanchezza, l'insuccesso, la sconfitta, la solitudine, il dolore, la sofferenza.

L'adulto ha imparato a sopportare il *disagio*.

l'adulto sopporta il disagio

Tarzan ha imparato a fare a meno dei genitori (per forza: sono morti).

Non dipende più da loro.

Anzi, non dipende più da nessuno.

l'adulto non dipende da nessuno

Non ha bisogno, come il bambino, dell'approvazione degli altri.

l'adulto non ha bisogno dell'approvazione degli altri

Se ne infischia.
Perché egli ha la *sua*, di approvazione.
Che è *incondizionata, assoluta e totale.*
Perché sa di essere *OK.*
L'adulto ha una *stima illimitata di sé.*

l'adulto ha una stima illimitata di sé

Sa che ormai è capace di arrangiarsi da solo in qualsiasi situazione.

Ha imparato a farsi le uova al tegamino, a lavarsi i denti e persino a pulirsi il culetto, da solo, per non parlare delle tigri, delle pantere e dei leoni.

Hai visto come gli salta addosso con il coltello fra i denti urlando il suo caratteristico e terrificante grido?

(Ma come fa, ad urlare e contemporaneamente tenere il coltello fra i denti? Misteri del cinema!)

Ha eliminato la *paura.*

Non che l'adulto non abbia più paura.

Ma ha paura di cose reali, ha solo *paure reali.*

Se gli viene addosso una tigre del Bengala prova paura eccome!

Se non avesse paura la tigre del Bengala se lo mangerebbe in un boccone.

È proprio la paura, che gli permette di fare un salto in lungo da record e fregare la colazione alla tigre (se si potesse mettere delle tigri del Bengala, o anche di altri posti, nelle piste di atletica, i record, non solo di salto in lungo, migliorerebbero notevolmente.)

L'adulto ha ancora paure reali ma non ha più *paure immaginarie* come il bambino.

l'adulto non ha paure immaginarie

Non si immagina più che domani, uscendo di casa, *potrebbe* essere mangiato da una tigre del Bengala.

Il domani!

Ecco l'assillo del bambino, che l'adulto ha superato!

Il bambino vive con la paura del domani.

L'adulto no, la paura del domani non ce l'ha più.

L'adulto ha imparato ad affrontare *qualsiasi difficoltà*, e quindi se ne infischia, del domani: le difficoltà del domani le affronterà come ha affrontato quelle di ieri e di oggi.

Non ci pensa nemmeno.

Non pensa più al futuro ossessivamente come il bambino.

Quindi non ha **aspettative**.

E quindi non ha nemmeno **rifiuti**, nei confronti della realtà.

l'adulto non ha né aspettative né rifiuti

L'adulto non pretende, come il bambino incapace di adattarsi alla realtà, che la realtà cambi per adattarsi alle sue esigenze.

Non pretende che le persone cambino per diventare come piace a lui.

Il bambino non è in grado di affrontare la realtà e quindi pretende sempre *una realtà diversa da quella che c'è*, pretende sempre che il mondo si adatti a lui e non lui al mondo.

Povero pazzo!

Perché la realtà se ne infischia di lui e va inesorabilmente per la sua strada.

L'adulto invece ha imparato ad adattarsi lui alla realtà.

L'accetta com'è e vi si adatta.

Ha imparato ad *accettare la realtà com'è*.

l'adulto accetta la realtà com'è e vi si adatta

Accetta tutto, situazioni, cose, persone.

E *se li gode*.

L'adulto *si gode la vita*.

l'adulto si gode la vita

Se proprio gli altri non gli piacciono, si limita a spostarsi altrove.

È un cacciatore che, se non trova la selvaggina che vuole lui, si sposta in un altro luogo capace di soddisfare il suo piacere.

Perché l'adulto è *un cacciatore di piaceri*.

l'adulto è un cacciatore di piaceri

L'adulto non ha bisogno, come il bambino, di *possedere*.

A lui interessa soltanto *usare*, *godere*.

all'adulto non interessa il possesso ma l'uso

Fra il possesso, necessario per dare un illusorio senso di sicurezza al bambino, e l'uso, più concreto, reale, di un'auto o di una donna, lui preferisce senz'altro averne l'uso, goderne, e basta.

È per questo, che l'adulto prende come amante la donna che il bambino ha preso come sposa-madre.

È molto più comodo: a lui il piacere, all'altro le rognate.

Ma, come diceva la pubblicità, non chiede mai: «Un uomo (ma anche una donna) non deve chiedere mai».

Quello che vuole se lo prende.

E non chiede scusa.

l'adulto non chiede mai: prende quello che vuole

Un'altra caratteristica dell'adulto, che manca al bambino, è la capacità dell'*amicizia*.

l'adulto è capace di amicizia

Amicizia significa *collaborazione, aiuto*.

I Romani dicevano *sodalitas*.

È la solidarietà dei legionari impegnati nelle campagne di conquista.

È l'amicizia, la collaborazione dei soldati, dei compagni di viaggio, dei giocatori di una squadra di calcio, degli scalatori di montagne.

Non è assistenza, nutrizione, protezione.

È il bambino, che vuole assistenza, nutrizione, protezione.

L'adulto non ne ha bisogno.

E come non li pretende non li dà.

L'adulto è però capace di solidarietà, di aiuto reciproco, di amicizia appunto.

Un rapporto *alla pari*.

Nessuno prevarica l'altro, nessuno pretende dall'altro, ma ognuno è pronto a darsi all'altro, se necessario.

Questa è l'amicizia.

E l'amicizia per l'adulto è *sacra*.

È l'unica relazione sociale che accetta e rispetta.

La relazione di sfruttamento del bambino e quella di dedizione del genitore non gli interessano, anzi le rifiuta perché non è disposto a praticarle.

Come si accorge che qualcuno pretende da lui assistenza, nutrizione, protezione, che il dare non è a due sensi ma a senso unico, che ha cioè a che fare con un bambino, scappa.

Perché l'adulto non è un genitore, non si dedica agli altri.

Collabora e basta.

«Uno per tutti e tutti per uno!»

Il discorso di quelli che rifiutano l'amicizia perché vogliono l'amore è un discorso da bambini.

Vogliono l'amore perché vogliono *essere amati* e non capiscono nemmeno cos'è, l'amicizia.

L'amicizia è una stima reciproca, un rispetto reciproco, una disponibilità reciproca ma nell'assoluta reciproca *libertà*.

Insieme quando si vuole o quando necessita ma ognuno per conto suo.

Perché è un rapporto basato sul piacere e non sul bisogno.

Un rapporto da adulti, appunto.

L'amico è quello che non senti anche per anni ma che rimane per te amico come il primo giorno.

L'amico, dice un detto popolare, è colui che conosci benissimo e nonostante questo continui ad essergli amico.

Perché l'amico si sceglie, non si subisce.

Il bambino si attacca al primo che capita perché è affamato di affetto.

L'adulto sceglie con cura i propri amici perché non ne ha bisogno ma se li gode.

Questo conferisce all'adulto una grande capacità di vita sociale.

l'adulto ha una grande capacità di vita sociale

Anzi è la più sociale, delle tre personalità.

Perché l'amicizia è alla base, della vita sociale, è il suo tessuto connettivo.

E solo l'adulto sa cos'è davvero l'amicizia ed è capace di nutrirla con costanza, fedeltà ed onestà per tutta la vita.

È per questo che le amicizie durano più dei matrimoni.

Aspetti negativi

Dalla descrizione di cui sopra sembrerebbe che l'adulto sia una creatura perfetta: autosufficiente, efficiente, dominante.

Come uno squalo.

Ma chi vorrebbe vivere con uno squalo?

L'adulto, come lo squalo (al quale davvero assomiglia) ha dei grossi difetti, dal punto di vista della convivenza sociale: non è capace di sottomissione, non sa giocare e soprattutto non vi aiuta nemmeno se state affondando nelle sabbie mobili, a meno che non abbia un tornaconto personale (tipo fregarvi il portafoglio dalla tasca della giacca).

l'adulto non è capace di sottomissione
l'adulto non sa giocare
l'adulto non si dedica agli altri

La personalità del genitore

Aspetti positivi

Cos'è un genitore?

Un genitore è un adulto che è diventato così bravo a procurarsi il cibo, a dominare l'ambiente che lo circonda, a difendersi dai pericoli, a evitare le minacce, a liberarsi dalle paure, a *essere sicuro di se stesso*, da potersi permettere il lusso di interessarsi agli altri, e in particolare ai *bambini*, e assisterli, proteggerli, nutrirli, difenderli, rassicurarli e coccolarli.

Il genitore è capace di *dedicarsi agli altri*.

il genitore è capace di dedicarsi agli altri

Lo stato di adulto non può dare una felicità permanente, perché l'autonomia non abolisce completamente la paura per la propria sopravvivenza e quindi neppure lo *stress*, che se non è cronico come nel bambino, è tuttavia ancora presente, nell'adulto.

Soltanto nello stato *genitoriale*, la paura per la propria sopravvivenza è superata completamente dalla *dedizione* all'altro.

Nella dedizione all'altro la paura per la propria sopravvivenza è eliminata dalla convinzione di una capacità di difesa persino superiore al necessario in quanto estesa agli altri.

La capacità, o la convinzione di questa capacità, di difesa degli altri comporta l'eliminazione della paura degli altri.

il genitore non ha più paura degli altri

Infatti non si può avere paura degli altri quando si diventa capaci di difenderli.

Il superamento della paura degli altri, che proietta sempre un'immagine distorta degli altri, ci permette di vedere e di accettare gli altri come sono, quindi di stimarli e di diventare consapevoli delle loro sofferenze e provare compassione per loro.

L'accettazione degli altri come sono, accompagnata dalla stima e dalla *compassione* per la loro sofferenza, dà luogo a ciò che noi chiamiamo *amore*.

l'amore è accettazione, stima, compassione

Già il Buddha (V sec. a.C.) aveva capito che la *compassione* è il fondamento dell'amore e che il vero amore è soltanto l'*amore universale*.

Parlando dell'amore, ci si riferisce di solito all'amore fra genitori e figli, marito e moglie, parenti, amici. Dipendendo per natura dai concetti di "io" e "mio", questo amore è imprigionato nell'attaccamento e nella discriminazione. La gente vuole amare soltanto i propri genitori, il proprio coniuge, i propri figli e nipoti, i propri parenti e i propri amici. Poiché è irretita nell'attaccamento, teme i mali a cui sono esposte le persone amate e se ne preoccupa prima che ac-

cadano. Poi, quando le disgrazie vengono, la sofferenza è tremenda. L'amore fondato sulla discriminazione genera il pregiudizio, ovvero indifferenza e persino ostilità nei confronti di coloro che escludiamo dal nostro amore. Attaccamento e discriminazione sono cause di sofferenza per noi stessi e per gli altri. In realtà, l'amore a cui tutti gli esseri aspirano è l'amore universale. Nell'amore universale vi è compassione e dedizione. Compassione e dedizione non sono limitate ai genitori, al coniuge, ai figli, ai parenti, agli amici, ma si allargano a tutta l'umanità e a tutti gli esseri. Compassione e dedizione non conoscono discriminazione fra mio e non mio. Senza discriminazione, non c'è attaccamento. Senza attaccamento, non c'è sofferenza. Compassione e dedizione alleviano la sofferenza e arrecano la felicità. Compassione e dedizione hanno come fine la felicità di tutti e non pretendono nulla in cambio. Senza di essi, senza l'amore universale, la vita è senza gioia. Con la compassione e la dedizione agli altri, con l'amore universale, la vita si colma di pace e di gioia.[1]

Il genitore, fra le tre personalità naturali, è l'unico capace di amore.

il genitore è l'unico capace di amore

Né l'adulto, né tanto meno il bambino, sono capaci di amore.

L'adulto è troppo occupato a sopravvivere e a dominare l'ambiente, per occuparsi degli altri e quindi per amare.

---

[1] Thich Nhat Hanh, *Old Path White Clouds* (1991); trad. it. *Vita di Siddhartha il Buddha*, Ubaldini, 1992, pag. 189.

Il bambino non è nemmeno capace di amare se stesso, figuriamoci se è capace di amare gli altri.

L'amore che il genitore nutre e vive nei confronti degli altri è per lui *fonte di piacere*.

l'amore è per il genitore fonte di piacere

Perché?
Perché sentirsi genitore, sentirsi in grado di aiutare, di nutrire, di difendere, lo fa sentire forte, *superiore*.

Il genitore si sente virtualmente simile alla divinità in quanto arbitro di vita e di morte di altri esseri viventi.

Ed infatti non a caso in molte religioni, e persino e soprattutto in quella cristiana, la divinità è rappresentata come *genitore*.

Gli animali genitori non collegano se stessi alla divinità, ma la loro convinzione di onnipotenza è chiaramente riscontrabile nella difesa ad oltranza che essi pongono in atto quando si tratta di difendere i propri cuccioli, anche se sono degli Yorkshire nani (non soltanto i cuccioli ma soprattutto, sfortunatamente, anche i genitori).

La personalità del genitore è infatti *l'apice dell'evoluzione psicologica naturale*.

la personalità genitoriale costituisce l'apice dell'evoluzione psicologica naturale

Aspetti negativi

Il genitore non ha aspetti negativi, se non quello, negativo dal solo punto di vista del bambino, di non dedicarsi a lui soltanto ma a tutti. Il *vero* genitore è colui che è genitore a tutti e non solo ai propri figli. Da questo si vede come i veri genitori sono pochissimi: basta andare a una partita di calcetto di bambini, dove i "genitori" tifano solo per i loro figli.

L'evoluzione psicologica naturale

I tre modelli comportamentali naturali – il bambino, l'adulto, il genitore – sono registrati nella nostra memoria sin dall'infanzia, perché sin dall'infanzia noi abbiamo memorizzato tali diversi comportamenti, che abbiamo osservato nelle persone intorno a noi.

Possiamo dire in senso figurato che dentro ognuno di noi esistono *tre diverse personalità*: il bambino, l'adulto, il genitore.

Queste personalità sono tuttavia presenti in noi «in nuce»: di esse noi abbiamo in memoria soltanto una traccia generale che deve essere *strutturata* con l'esperienza e il vissuto reale, in modo da costruire delle personalità vere e proprie, capaci di realizzare completamente il corrispondente modello comportamentale.

Questa costruzione, attuata per ognuna delle tre personalità naturali, ci permette di impadronirci della capacità di *attivazione* di essa in qualsiasi momento, il che consiste nella nostra *identificazione* completa e totale con essa.

La crescita psico-affettiva che va dal bambino all'adulto al genitore consiste nel passare da una condizione di *dipendenza* ad una condizione di *autosufficienza* ad una condizione di *dedizione*.

La materia in cui si realizza l'evoluzione è la *capacità affettiva* o, per dirla con il linguaggio comune, l'*amore*.

Immagina un vaso vuoto di liquido, e immagina che questo liquido sia l'*amore*.

Il bambino è esattamente così: un vaso vuoto del liquido dell'amore.

Deve essere riempito.

Ha assolutamente bisogno di essere riempito d'amore.

È una sua necessità vitale.

Almeno quanto basta ad amare se stesso.

È proprio per questo, che un buon genitore dà amore al proprio figlio esprimendogli la sua stima e la sua ammirazione, costruendo nel proprio figlio quella fiducia e stima in se stesso, quell'amore per se stesso, che riempie il vuoto del vaso e rende il figlio non più bisognoso d'amore, ossia non più bambino.

Finalmente adulto.

L'adulto è un vaso riempito per buona parte del liquido dell'amore.

L'amore per se stesso.

È il primo passo, verso l'amore, ma è il passo più importante, senza il quale il cammino verso l'amore universale non può essere realizzato.

Gesù stesso ha detto *Ama il prossimo tuo come te stesso.*[1]

Infatti, poiché noi proiettiamo sempre sul mondo la nostra visione interiore, noi abbiamo con gli altri esattamente lo stesso rapporto che abbiamo con noi stessi.

Perché gli altri, per ognuno di noi, sono sempre una *proiezione di noi stessi.*

Hai notato, ad esempio, come i portatori di colpa (magari inconscia) sono sempre pronti ad incolparti di qualcosa?

Perché proiettano su di te il loro senso di colpa (conscio o inconscio).

---

[1] Gesù è stato un grande *psicologo*: non si può infatti amare gli altri se non si ama prima di tutto se stessi. Faccio notare *en passant* che noi psicologi siamo l'unica categoria professionale ad avere avuto il figlio di Dio come collega: nulla del genere è mai capitato ad idraulici, ragionieri o ginecologi. Vi siete mai chiesti perché?

Quindi, se noi ci sentiamo in colpa, non possiamo fare a meno di accusare gli altri.

Se noi ci odiamo, non possiamo fare a meno di odiare gli altri.

Se noi ci disprezziamo, non possiamo fare a meno di disprezzare gli altri.

Se noi ci amiamo, non possiamo fare a meno di amare gli altri.

Per amare gli altri, quindi, dobbiamo necessariamente *amare noi stessi.*

Se noi amiamo noi stessi, noi siamo soddisfatti, siamo allegri, siamo gioiosi, siamo felici.

Siamo in grado di amare gli altri.

A mano a mano che la fiducia in noi stessi e la nostra sicurezza aumenta, a mano a mano che l'amore per noi stessi aumenta, il nostro vaso si riempie sempre più di amore, fino a traboccare.

E allora diventiamo *genitori.*

Il genitore è un vaso traboccante d'amore.

Ha amore per tutti, nessuno escluso.
Per il vero genitore, tutti sono suoi figli.

In condizioni naturali è *l'esperienza di condizioni ambientali specifiche*, la causa della strutturazione delle tre personalità naturali.

> *l'evoluzione psicologica naturale*
> *avviene attraverso*
> *l'esperienza*
> *di condizioni ambientali specifiche*

La *personalità infantile* si struttura spontaneamente alla nostra nascita, per il semplice fatto che l'ambiente esterno è ostile rispetto a quello intrauterino.

L'ambiente intrauterino, infatti, è talmente favorevole e così poco differenziato che il feto si costruisce spontaneamente una personalità completamente appagata e quindi tendenzialmente onnipotente.

È per questo motivo, che nel bambino e nell'adulto permane una tendenza all'autismo (giochi ripetitivi e vizi alienanti): è un tentativo di ritorno, in presenza di un ambiente non soddisfacente, all'appagamento intrauterino.

Certamente il parto costituisce un trauma, non tanto per l'evento in sé (che anzi viene spesso rivissuto piacevolmente, specie in stato di coma: il famoso tunnel con la luce all'uscita e le persone che ci accolgono), quanto per il cambiamento radicale di ambiente, che da completamente appagante diviene disagevole e frustrante.

Esso provoca la creazione della personalità infantile, insicura e impaurita perché incapace di sopravvivere in un ambiente ostile.

Sarà ancora *l'esperienza* di condizioni ambientali *specifiche*, più che la crescita fisica, a strutturare la personalità *adulta* e quella *genitoriale*.

Occorrono *tre condizioni ambientali specifiche*, perché possa avvenire la

STRUTTURAZIONE DELLA PERSONALITÀ ADULTA

1 AFFETTO DEL GENITORE
2 MODELLO DI ADULTO
3 STATO DI ADULTO

La prima condizione è indispensabile al bambino per l'acquisizione della *sicurezza* e quindi della *fiducia in se stesso*, la quale gli fornisce la spinta e la motivazione che gli permettono di accedere alla seconda condizione.

La seconda condizione consiste nell'*esperienza* e nella *memorizzazione* del modello comportamentale dell'adulto, che è quello che dovrà poi essere attuato.

La terza condizione consiste nello *stato esistenziale* effettivo, definitivo e abituale di adulto e quindi nell'*esperienza* dell'effettivo controllo autonomo e indipendente dell'ambiente.

Questa terza condizione si realizza soltanto con l'*allontanamento dai genitori*.

Soltanto con l'allontanamento dai genitori, o meglio con il vissuto di uno stato di assoluta **solitudine**, infatti, si ha il passaggio dallo *stato* infantile allo *stato* adulto.

Lo stato esistenziale di adulto è quindi *essenziale*, al processo di strutturazione della personalità adulta, perché soltanto in esso, avviene l'identificazione definitiva del soggetto con la personalità adulta.

Occorrono *due diverse condizioni ambientali specifiche*, perché possa avvenire la

STRUTTURAZIONE DELLA PERSONALITÀ GENITORIALE

1 MODELLO DI GENITORE
2 STATO DI GENITORE

La prima condizione consiste nell'*esperienza* e nella *memorizzazione* del modello comportamentale del genitore, che è quello che dovrà poi essere attuato.

La seconda condizione consiste nello *stato esistenziale* effettivo di genitore e quindi nell'*esperienza* dell'effettiva dedizione a soggetti bisognosi di aiuto e nella loro protezione.

In altri termini, nella reale *esperienza* della personalità genitoriale.

Come per la personalità adulta, l'*esperienza* della personalità genitoriale è *essenziale* al processo di strutturazione di questa personalità.

L'itinerario di evoluzione naturale che va dal bambino all'adulto al genitore è *consequenziale* e *unidirezionale*.

Esso **non può essere sovvertito**.

Occorre quindi sottolineare un

DATO ESSENZIALE

non si può essere genitori
se prima non si è diventati adulti

Il processo di *crescita psicologica* segue infatti questa sequenza:

BAMBINO → ADULTO → GENITORE

Il processo

BAMBINO → GENITORE

non è possibile

Infatti, la *dedizione agli altri*, la caratteristica oggettiva della personalità genitoriale, presuppone uno stato oggettivo di *autosufficienza* e di *controllo dell'ambiente*, che sono caratteristiche dell'*adulto*.

Come ho già detto e come è evidente a tutti, nessun bambino è in grado di provvedere alla sopravvivenza di altri bambini, in quanto non è neppure in grado di provvedere alla sopravvivenza di se stesso.

Lo sviluppo della personalità adulta

Lo sviluppo della personalità adulta è il primo passo fondamentale dell'evoluzione psicologica naturale.

Ma come avviene lo sviluppo della personalità adulta? Come avviene che un bambino diventa adulto?

O meglio, come avviene che un individuo umano che ha finora vissuto soltanto la sua personalità infantile sviluppa e impara a vivere la sua personalità adulta?

Esaminiamo la cosa con cura perché essa è di importanza vitale, per la nostra evoluzione psicologica e quindi per la nostra realizzazione e felicità come esseri umani.

Cosa avviene normalmente in natura negli animali, che produce il passaggio dalla fase infantile alla fase adulta?

Prendiamo i gatti.[1]

---

[1] Prendere i gatti è difficile, lo so, ma parlo di gatti perché tutti o quasi tutti hanno esperienza di gatti. Ma attenzione, quali gatti? I gatti che noi teniamo nelle nostre case non sono gatti normali. Sono gatti che sono stati strappati alla loro mamma prima che lei gli insegnasse a cacciare e che non hanno neppure imparato a cacciare da soli perché sono stati tolti dal loro ambiente naturale; in più gli viene dato un territorio che è meno di un centesimo del territorio che loro hanno in natura, gli viene data un'alimentazione che non ha nulla a che fare con quella che loro hanno in natura (topi, passeri, lucertole ecc.) e gli viene

Finché non sono capaci di alimentarsi diversamente e devono costruire la loro prestanza fisica, la mamma gatta li allatta.

E non fa come le nostre mamme, che smettono di allattare il loro bambino prima del tempo perché il pediatra gli ha detto che è meglio il latte artificiale.[2]

Finché ce n'hanno e finché i gattini ne vogliono, gliene danno.

Senza orario.

Praticamente in continuazione.

Chi ha visto crescere in modo naturale gatti in libertà, sa con quanta abnegazione, pazienza, imperturbabilità ed eroismo la mamma gatta allatta i propri cuccioli.

Rimane praticamente tutto il giorno e tutta la notte per circa due mesi distesa a terra su un fianco.

Come una matrona romana ad un banchetto al quale lei non partecipa ma è solo spettatrice.

Cioè proprio come un'autentica matrona romana.

Con le mammelle esposte in vetrina come le paste di una pasticceria.

Pronte ad essere assalite e divorate da una classe di scolari affamati e golosi scappati da scuola.

imposta una vita che non ha nulla a che fare con quella che loro vivono in natura (caccia, lotta, difesa del territorio e sesso). Cosa ne dite? Secondo voi, i gatti che noi teniamo nelle nostre case sono gatti bambini o gatti adulti? Sono gatti normali o nevrotici? Provate ad osservare il comportamento dei gatti randagi che vivono nelle città o meglio nelle campagne e avrete la risposta.

[2] Arriveremo anche al latte artificiale per gatti. Il mercato c'è. Se non ci siamo ancora arrivati è semplicemente perché ancora nessuno ci ha pensato. Chi volesse sfruttare l'idea, tenga conto del mio copyright: mi accontento di un 20% netto sugli utili.

Ma la mamma gatta non si limita ad allattare i suoi cuccioli.

In questa fase protegge anche i suoi cuccioli dai pericoli esterni.[3]

In questo modo i gattini non soltanto crescono nel corpo, ma si rafforzano anche psicologicamente in quanto, sentendosi difesi e protetti, rafforzano la loro *sicurezza*.

Quante mamme umane fanno la stessa cosa con i loro bambini?

Quante mamme umane danno ai loro bambini quella sicurezza non soltanto materiale ma soprattutto *psicologica* che permette ai loro figli di rafforzare il proprio *Io* e diventare adulti?

Invece di urlare impazzite ad ogni piccolo problema?

Per i cuccioli umani la sicurezza psicologica non deriva soltanto dalla sicurezza materiale ma soprattutto dalla sicurezza affettiva, dall'*amore*.

Quante mamme umane riempiono d'amore il vaso vuoto dei loro bambini con carezze e baci e sorrisi e dolci parole?

Ma soprattutto con *apprezzamento* del comportamento anche insufficiente e impacciato dei loro piccoli ometti e delle loro piccole donnine?

Quante invece si limitano, perché prese dal lavoro o stressate o perché altrimenti distratte, a cambiare loro i pannolini e dare loro da mangiare?

[3] Chi non ha mai visto una mamma gatta che prende ad uno ad uno i suoi cuccioli addentandoli per la collottola e nasconderli in un posto sicuro, lontano da insidie e aggressioni? Chi non lo ha mai visto, può scrivermi: gli invierò ad un modico prezzo alcune fotografie da me scattate alla mia gatta Minou mentre trasporta i suoi gattini in cantina dopo averli nascosti proditoriamente dentro il guardaroba in casa, dal quale è stata gentilmente sfrattata con tutta la sua famiglia.

Questa è la prima tappa della nevrosi infantile.

Un bambino che non si è sentito amato, protetto, curato affettivamente durante la sua infanzia, si porterà dietro per tutta la vita una carenza affettiva devastante.

Essa lo renderà insicuro, impaurito, insoddisfatto.

Rimarrà ancorato a quella personalità infantile piena di paura e di insicurezza che non è stata sufficientemente protetta e rassicurata e che quindi egli non può superare.

E che non potrà mai più superare, per tutto il resto della sua vita.

Perché chi potrà dargli tutte quelle carezze che la sua mamma, quando ne aveva bisogno, non gli ha dato?

Chi potrà dargli tutti quei baci che la sua mamma, quando ne aveva bisogno, non gli ha dato?

Chi potrà fargli tutti quei sorrisi che la sua mamma, quando ne aveva bisogno, non gli ha fatto?

Chi potrà dirgli tutte quelle parole dolci che la sua mamma, quando ne aveva bisogno, non gli ha detto?

Darglieli adesso, che ha trenta o quarant'anni, è come dargli dei pasticcini ammuffiti e stantii.

È naturale, che egli li mangi lo stesso.

Perché ha fame.

Ma non lo appagano.

Perché non sono quei buoni e fragranti pasticcini che voleva mangiare quando era piccolo dalle mani della sua mamma.

Soltanto quelli, erano davvero buoni e fragranti.

Perché era la sua vera mamma, a darglieli.

Soltanto allora, potevano appagarlo.

Quelli che gli danno adesso, che ha trenta o quarant'anni, sono soltanto pasticcini ammuffiti e stantii che non lo accontenteranno mai.

Perché il suo vaso non è stato riempito d'amore.

È rimasto vuoto e assetato d'amore.

Egli quindi non ha a disposizione neppure l'amore per se stesso.

Non è neppure capace di stare bene con se stesso.

Soprattutto non è capace di dare a se stesso quell'amore che non ha mai ricevuto e che quindi continua a chiedere disperatamente alla mamma di turno, a tutte le mamme che gli capita di incontrare, qualunque sia la loro sembianza.

Si può capire, adesso, perché il nevrotico infantile è una continua, assillante, inesauribile, inesaudibile richiesta di attenzione, di cure, di protezione, di carezze, d'amore.

Finché non si deciderà a crescere, a costruire la stima in se stesso, a farsi le coccole da solo, in una parola a diventare adulto, non risolverà il suo problema.

Ma la storia non finisce qui.

Quando i gattini sono diventati sufficientemente robusti da essere capaci di saltare e correre, prima ancora che abbia smesso di allattare, la mamma gatta comincia a fare delle cose che noi umani – ipocriti perché facciamo ben di peggio – giudichiamo terribili.

Ad esempio cattura un topo, gli spezza la spina dorsale affinché non corra troppo e non scappi (i gattini sono ancora inesperti e debbono imparare a cacciare in condizioni facilitate, ovviamente) e lo pone davanti ai gattini facendogli vedere come si fa a bloccarlo e a catturarlo, lasciandolo scappare per quel poco che il disgraziato può fare e poi balzandogli addosso e imprigionandolo fra le zampe.

Naturalmente la mamma gatta cattura un topolino più piccolo dei suoi gattini, affinché non li spaventi.[4]

---

[4] La grandezza dei topi non è direttamente proporzionale alla loro età: ci sono delle specie di topi, detti comunemente "topi di campa-

La mamma gatta si propone in questo caso come esempio, come *modello comportamentale*.

I gattini, dapprima indifferenti a queste lezioni (esattamente come i nostri bambini alle nostre), piano piano prendono ad interessarsi al gioco (è così che la mamma gatta glielo presenta: un gioco, una simulazione della caccia che fanno gli adulti) e cominciano anche loro a provare il sano esercizio di balzare sul topolino e bloccarlo.

Una vera e propria scuola di caccia, a cui i gattini partecipano in gruppo sempre più interessati e appassionati, fino a gareggiare fra loro e a simulare fra loro quelle aggressioni, quegli agguati, quelle lotte corpo a corpo, quelle fughe, che fanno parte del comportamento principale dell'adulto: la caccia.

È penoso vedere come i poveri gatti nevrotici, prigionieri nelle nostre celle di cemento, continuino per tutta la vita, finché la vecchiaia li blocca con l'artrosi, l'arteriosclerosi e la demenza senile, a fare nei nostri salotti con le nostre tende e i nostri divani quei giochi di caccia che non hanno potuto fare da cuccioli sotto la guida della loro mamma, spinti dal loro istinto ma puntualmente rimproverati e puniti da noi umani sadici e crudeli che non solo li teniamo rinchiusi ma impediamo loro di vivere in modo naturale.

---

gna", che la natura ha dotato di dimensioni atte ad introdursi entro qualsiasi anfratto, al fine di alimentarsi. Essi, lo sa bene chi vive in campagna, penetrano entro qualsiasi nascondiglio e protezione, saccheggiando vivande e provviste, e non esiste difesa o barriera che li fermi. Sono piccolissimi. Praticamente dei nanetti. Ma non sono dei bambini. Sono degli adulti aggressivi e agguerriti. Magari dei maturi signori spesso incavolati. Ma comunque sempre cronicamente affamati (la fame cronica è una regola, in natura).

A quando i gatti-robot da tenerci nelle nostre case pulite e disinfettate fatte per umani nevrotici e naturofobici?[5]

Quando i gattini hanno imparato finalmente a cacciare, per *imitazione* dell'*esempio* di mamma gatta che gli ha fornito topolini sempre più grossi e sempre più vivaci, nonché lucertole, passeri e persino api, calabroni e mosche, essi si trovano anche a non avere più bisogno di essere allattati (ammirate la magnifica puntualità della natura, che fa coincidere il termine dell'apprendimento con il termine dell'allattamento), perché i loro dentini sono diventati forti e capaci di masticare anche cibi solidi.

Allora la madre li abbandona.

[5] Hanno già fatto il cane, come sapete. Lo ha fatto la Sony, naturalmente. Fa tutto quello che fa un cane di casa nevrotico e rimbecillito, tranne le uniche cose naturali che i cani di casa erano ancora capaci di fare: la pipì e la cacca. La Sony con questo cane robot ha fregato i fabbricanti di sacchetti e palette, nonché quelli di lettiere e di alimenti per cani. La robotica sta facendo passi da gigante. Prevedo fra non molto l'immissione nel mercato, non solo di gatti robot e uccellini robot (che sarebbe un'opera santa, perché ridarebbe la libertà a tanti poveri gatti e uccellini imprigionati nelle nostre case), ma anche di mamme-robot che accarezzeranno, baceranno, sorrideranno e parleranno ai nostri figli con un'affettuosità, una dedizione, un'abnegazione, una pazienza, un'imperturbabilità ed un eroismo che molte delle nostre mamme, arriviste e mascolinizzate, non hanno più. E secondo me anche questa sarebbe un'opera santa, con buona pace di quanti se ne scandalizzeranno. Perché è meglio una mamma-robot affettuosa e sempre presente che una mamma arrivista, assente o presente con malagrazia. D'altra parte le mamme-robot esistono già da oltre trent'anni e nessuno ha gridato allo scandalo perché la gente è così stupida che neppure se ne è accorta: infatti intere generazioni di bambini sono state allevate e coccolate da fiabe su disco e cartoni animati televisivi, che altro non sono appunto che mamme-robot, sia pure limitate a funzioni specifiche.

Non hanno più bisogno di lei.

Adesso sono adulti.

Si dividono anche fra loro.

Ognuno di loro si trova un proprio territorio di caccia, che dominerà e difenderà con la propria abilità, la propria forza, la propria ferocia.

Questa, è la strada che la natura ha tracciato per la crescita biologica, per il passaggio dalla fase di cucciolo a quella di adulto.

Nella specie umana l'evoluzione naturale è complicata dalla presenza nel nostro cervello della *neocorteccia*, risultato dell'evoluzione biologica.

Lo ha detto anche Albert Einstein: «Dio non è cattivo, ma è complicato».

La neocorteccia attiva la funzione del *pensiero* e dell'*immaginazione* che danno luogo all'*affettività*, la quale soltanto apparentemente, è presente anche negli animali.[6]

Come ho già detto, nell'essere umano l'evoluzione biologica è soprattutto un'*evoluzione psicologica*.

Infatti nell'essere umano non è sufficiente l'esempio di un modello comportamentale, perché avvenga il passaggio

---

[6] La fedeltà dei cani al padrone umano non è una manifestazione di affettività, come molti proprietari di cani credono, ma semplicemente una manifestazione di dipendenza, sottomissione e fedeltà al *capo branco*, con il quale i poveri animali sono costretti a scambiare il padrone umano, dal quale in natura essi dipendono e per il quale essi hanno un istinto di obbedienza. Questo avviene per tutti gli animali mammiferi che vivono in branco, come cani, cavalli e rinoceronti. Ma provate a farvi coprire di leccate e sguardi languidi da un'iguana o da un coccodrillo. Per non parlare di pitoni e boa constrictor. Eppure ci sono possessori di pitoni e boa constrictor pronti a giurare che sono creature tanto amorose e affettuose. Gli manca solo la parola (meno male).

dalla fase infantile a quella adulta, come è invece sufficiente per gli altri animali.

Occorre che al cucciolo d'uomo sia fornita un'altra cosa, della quale gli animali possono fare a meno: l'*affetto*.[7]

La funzione dell'*immaginazione* permette di registrare nella memoria dell'essere umano l'*immagine* dell'adulto che egli adotta come modello comportamentale capace di assicurargli la sopravvivenza.

Egli, attraverso l'altra sua funzione specifica, il *pensie-*

---

[7] Lo so benissimo che a questo punto tutti i possessori di animali, e in particolare di gatti, visto che ho parlato specificamente di loro, se potessero mi salterebbero addosso e mi graffierebbero come fanno i loro cari protetti con il divano del soggiorno. Perché certo, lo so, essi sono pronti a giurare sulla Bibbia che i loro beniamini sono affettuosissimi, che la loro mamma gatta quando ha avuto i cuccioli (in casa, beninteso) ha prodigato loro amore e carezze e affettuosità che a loro la loro mamma non si è mai sognata di prodigargli. È proprio qui, l'incrinatura della loro commovente convinzione. Essi vedono nel gatto quella affettuosità di cui essi hanno un disperato bisogno e che sarebbero disposti a vedere anche in un coccodrillo o in un cercopiteco. In realtà la mamma gatta non dispendia ai suoi cuccioli l'affetto come lo viviamo noi umani, ma semplicemente le cure indirizzate alla loro sopravvivenza, come da programma genetico di conservazione della specie. Le leccate su e giù per il pelo che la mamma gatta prodiga ai suoi gattini, e che sono le stesse che ella prodiga a se stessa, non sono effusioni amorose ma semplicemente atti di normale igiene gattesca, volti a prevenire ed eliminare i parassiti. Un gatto (parlo sempre di gatti perché ho vissuto per vent'anni in campagna con gatti che vivevano all'aperto e quindi ho avuto modo di studiarli nel loro ambiente naturale) diventa adulto anche se non riceve le cure « affettuose » della mamma gatta, ma semplicemente se ha imparato a cacciare e a sopravvivere da solo in un ambiente naturale. Strappato invece alla mamma prima che questo avvenga, rimane un cucciolo – incapace di cacciare e quindi di sopravvivere da solo – per tutta la vita. Ed è così che noi ce lo teniamo nelle nostre prigioni di cemento, credendolo un gatto normale.

ro, si *identifica* allora con quell'immagine ed attua nei fatti quel modello comportamentale.

Negli animali l'attuazione del modello comportamentale adulto è invece il risultato di un *istinto*: essa è quindi *automatica*, quando vi siano le condizioni ambientali opportune.

Lo sviluppo delle funzioni del pensiero e dell'immaginazione ha permesso invece all'essere umano di rendere *volontaria* la funzione dell'attuazione del modello comportamentale adulto.

L'identificazione con l'immagine-modello dell'adulto che il bambino ha registrato nella propria memoria può avvenire tuttavia soltanto se il bambino ha *fiducia* nella propria capacità di identificazione con quel modello, ossia nella propria capacità di *cambiamento della personalità*.

E qui entra dunque in gioco l'*affettività*, che diventa quindi un requisito indispensabile alla crescita psicologica dell'essere umano.

È infatti attraverso l'*amore del genitore* (in natura della madre), che il bambino acquista la *fiducia in se stesso* necessaria alla sua identificazione con un'immagine diversa da quella che egli ha di se stesso e quindi alla sua trasformazione in adulto.

Perché

l'amore non è difesa e nutrizione

La difesa e la nutrizione della prole costituiscono un programma genetico comune a tutti gli animali.

Ma

l'amore è accettazione, approvazione, stima, cioè rafforzamento dell'Io

Vale la pena di soffermarci su questo concetto, tanto importante anche per gli adulti.

l'amore è stima

È per questo, che essere amati dà tanto piacere: perché rafforza il nostro *Io*.

Ed è soltanto quando ha realizzato questo rafforzamento dell'*Io*, cioè la *fiducia in se stesso*, che il bambino è in grado di cambiare la propria personalità e identificarsi con quell'*immagine* della personalità adulta che egli ha registrato nella propria memoria.

Perché la fiducia in se stesso è una caratteristica della personalità adulta.

Dunque

l'amore e quindi la stima del genitore è la condizione preliminare per lo sviluppo della personalità adulta

Ma prima di arrivare all'identificazione con la personalità adulta il bambino deve percorrere un lungo itinerario: deve procedere alla *strutturazione* di quella personalità dentro di sé, deve cioè *sedimentarla* completamente nella propria memoria, o, come si dice comunemente, *interiorizzarla* e assumerla come propria personalità predominante fino a *identificarvisi* e quindi fino a *diventare effettivamente un adulto*.

Il processo di strutturazione della personalità adulta è quindi un processo complesso. Lo esamineremo nel prossimo capitolo.

La strutturazione della personalità adulta

Il processo naturale di strutturazione del modello comportamentale adulto è il risultato di *cinque distinti processi* che si susseguono nell'ordine e costituiscono altrettanti passi che conducono al compimento del processo generale.
Essi sono:

1 l'assunzione di un modello;
2 la memorizzazione di una sua immagine;
3 l'imitazione del modello;
4 la radicalizzazione del modello;
5 l'identificazione con il modello.

La non attuazione di uno qualsiasi di questi processi arresta il processo generale e non porta a compimento la strutturazione del modello.
Vediamoli uno per uno.

L'assunzione di un modello comportamentale adulto da parte del bambino consiste nella sua *scelta*, conscia o inconscia che sia, di *un particolare adulto* come modello.
Tale modello deve avere una caratteristica fondamentale: deve essere capace di assicurargli la *sopravvivenza* e quindi capace di *controllare l'ambiente*.

L'assunzione del modello comportamentale adulto presuppone ovviamente una condizione: la sua *presenza* nell'ambiente in cui il bambino vive.[1]

Il primo compito dei genitori è quindi quello di fornire ai propri figli il modello comportamentale dell'*adulto*, affinché essi lo memorizzino e possano averlo a disposizione una volta che le condizioni personali e ambientali siano adatte alla sua attuazione.[2]

Ma non basta.

Deve essere un modello *positivo*.

Deve essere cioè un modello che produca non soltanto una capacità di *sopravvivenza* ma anche, come ho detto, di *controllo dell'ambiente*.

Poiché oggi l'ambiente umano non è più la natura ma la *società*, esso deve presentare una capacità di *integrazione e successo sociali*.

Un padre o una madre capaci di difendersi dagli attacchi di altri adulti e di affermare la propria personalità nelle diverse circostanze vanno benissimo, come modello di adulto.

---

[1] In condizioni naturali, il modello comportamentale adulto è dato dal genitore dello stesso sesso. Ove tale modello non sia presente, il bambino lo cerca e lo trova nell'ambiente esterno alla famiglia. Non è neppure necessario che appartenga alla sua stessa specie: in casi estremi di isolamento del bambino dalla propria specie (vedi Tarzan e simili), il modello comportamentale assunto per la sopravvivenza è quello di altre specie: sempre comunque di modello comportamentale adulto si tratta.

[2] Questo fa vedere come sia importante per i figli maschi la presenza dell'uomo nella coppia, che è il loro modello naturale, senza il quale sono costretti a cercarselo all'esterno, magari in un gorilla. Volete che i vostri figli si trasformino in gorilla? Il progetto delle femministe di eliminare l'uomo dalla coppia è innaturale.

Ma se il modello di adulto è un emarginato, privo di integrazione, di approvazione e di successo sociali, è un esempio negativo che il figlio non seguirà mai, perché non è efficace al controllo dell'ambiente, che è la caratteristica biologica specifica del modello comportamentale dell'adulto.

L'assunzione di un modello comportamentale dà luogo al secondo processo: la *memorizzazione di una sua immagine*.

L'adulto scelto dal bambino come suo modello viene memorizzato in una sua particolare circostanza ambientale e comportamentale.

Ad esempio in una sua tipica reazione ad una aggressione o ad un pericolo, che costituiscono i comportamenti specifici atti ad assicurare il controllo dell'ambiente e quindi la sopravvivenza.

L'immagine memorizzata diventa quindi per il bambino un'*immagine ideale* della personalità che egli deve assumere per assicurarsi il controllo dell'ambiente e la sopravvivenza.

La visualizzazione mentale dell'immagine ideale dell'adulto memorizzata dal bambino diventerà per il bambino *un evento mentale ricorrente*.

Proprio per quella tensione, cioè *paura*, cronica in cui abbiamo già visto vivere il bambino.

Essa dà luogo, al fine del suo contenimento entro limiti accettabili, alla produzione di *immagini mentali* atte a sciogliere seppure parzialmente la tensione stessa.

Come quella appunto di un adulto che configura una capacità di difesa.[3]

---

[3] In realtà si ha spesso, del modello, non una sola bensì *diverse immagini*, anche se è sempre una sola ad essere di volta in volta visualiz-

La ricorrenza della visualizzazione dell'immagine dell'adulto memorizzata dal bambino lo porta alla sua riproduzione *dinamica*, cioè all'*imitazione* del modello da cui l'immagine è stata derivata.

Questo perché la visualizzazione mentale di un'immagine tende a tradursi in *comportamento*.

È questo il terzo processo della strutturazione della personalità adulta.

Il bambino tenterà di riprodurre *dinamicamente* l'immagine memorizzata dell'adulto imitandolo non soltanto nella sua modalità di rapporto con l'ambiente e con gli altri individui del gruppo sociale in situazioni di pericolo, ma anche nei suoi atteggiamenti, nel suo modo di parlare, di gestire, di camminare, di vestirsi, in condizione di normalità.

La ripetizione prolungata dell'imitazione del modello comportamentale adulto dà luogo al quarto processo della strutturazione: la sua *radicalizzazione*.

La radicalizzazione del modello comportamentale adulto consiste nella sua *memorizzazione sistematica e completa*, ossia nel perfezionamento nella memoria del protocollo comportamentale di codesta personalità in tutti i suoi particolari, fino a costituire una vera e propria personalità di-

zata, a seconda delle caratteristiche evocate. Roberto Assagioli parla di «*idea-immagine*» (cfr. R. Assagioli, *Principii e metodi della psicosintesi terapeutica*, op. cit., p. 143). La capacità delle visualizzazioni fantasmatiche di produrre assetti mentali atti ad attenuare gli stati di tensione è stata recentemente posta in particolare evidenza dalla Programmazione Neurolinguistica, che ne accentua anche la capacità *suggestiva* e *condizionatoria* capace di produrre comportamenti specifici (cfr. R. Bandler J. Grinder, *La metamorfosi terapeutica*, op. cit.).

sponibile ad essere assunta dal bambino ove le circostanze lo richiedano.

Il modello comportamentale adulto memorizzato costituirà quindi nel bambino non più un modello ideale, bensì andrà a costituire una sua vera e propria *personalità alternativa*, che egli sarà in grado di assumere in caso di necessità, per assicurarsi la sopravvivenza o la propria affermazione nell'ambiente.

La disponibilità della personalità adulta da parte del bambino permetterà la realizzazione del quinto ed ultimo processo della sua strutturazione: l'*identificazione* dell'Io con questa personalità e quindi la sua crescita psicologica, la sua trasformazione da bambino in adulto.

È questa identificazione, *frutto dell'immaginazione e del pensiero* ma permessa e promossa dalle *circostanze ambientali*, che farà del bambino un adulto.

Ma quali sono queste circostanze ambientali?

Evidentemente quelle che non solo permettono al bambino di *attuare* il modello comportamentale adulto da lui memorizzato, ma che rendono anche tale attuazione un fatto *obbligato, sistematico ed abituale*.

E vi è soltanto un tipo, di circostanze ambientali, capaci di dare questo risultato: lo *stato di adulto*.

Abbiamo visto infatti come lo stato di adulto costituisca una delle *condizioni ambientali* necessarie alla strutturazione della personalità adulta.

**senza lo stato di adulto
non vi può essere identificazione definitiva
con la personalità adulta**

Stato di adulto significa *esperienza* di circostanze ambientali, e quindi esistenziali, tipiche dell'adulto.

L'identificazione con la personalità adulta da parte del bambino è stimolata normalmente da circostanze ambientali particolarmente difficili, che soltanto la personalità adulta è in grado di affrontare e risolvere.

Ma si tratta pur sempre, finché permane lo stato infantile, ossia la sostanziale dipendenza dai genitori, di *identificazioni episodiche*.

La dipendenza economica dai genitori, ad esempio, viene spesso vissuta, a livello conscio o inconscio, come una dipendenza che sancisce lo stato infantile.[4]

L'identificazione totale e definitiva che trasformerà il bambino in adulto, che gli farà dire «Io non sono più un bambino, io sono un adulto», avverrà soltanto quando lo stato di adulto sarà completo, sistematico e definitivo.

Ma in cosa consiste, precisamente, lo *stato di adulto*?

In due condizioni: la *solitudine* e l'*autoaffermazione*.

lo stato di adulto consiste nella
SOLITUDINE e nell'AUTOAFFERMAZIONE

Senza queste due condizioni, non si ha lo stato di adulto.

Come dimostrano, ancora una volta, i gatti.[4]

---

[4] Affidare ai gatti la dimostrazione di un'affermazione psicologicamente così importante per noi umani mi è sembrato un po' azzardato e temerario, inaffidabili come sono i gatti (perfetti esempi di adulti), i quali se ne fregano di impegnarsi in dimostrazioni. Ma poi, riflettendo sul come li abbiamo sfruttati per secoli per i nostri bisogni affettivi, mi è sembrato giusto dare loro l'opportunità di prendersi una rivincita con l'assunzione di un ruolo addirittura professorale (i miei colleghi si offenderanno moltissimo all'idea che li abbia paragonati a dei gatti, ma

Occorre quindi per prima cosa *allontanarsi dai genitori*. L'allontanamento dai genitori passa inesorabilmente attraverso un *conflitto* con essi.

Infatti il *distacco* richiede, per essere realizzato, un'*energia dirompente* tale da cambiare lo stato esistente.

Si tratta, come si dice comunemente, di *tagliare il cordone ombelicale*.

Questo dà luogo necessariamente ad un *conflitto*, manifesto o nascosto, attenuato o dirompente che sia.

Quindi

il conflitto con i genitori
è necessario
per liberarsi della personalità infantile

In tutte le società, il conflitto con i genitori segna il passaggio alla personalità adulta.

La cultura greca ha stigmatizzato questo processo con il mito di Edipo, figlio di Laio re di Tebe, che arriva ad uccidere il padre.

Ora, forse questo è un po' esagerato: non occorre arrivare a un tale eccesso, anche se tanti genitori meriterebbero davvero di essere ammazzati.

L'importante è operare il distacco, allontanarsi dai genitori per vivere lo stato di solitudine.

Ma attenzione: solitudine non significa un semplice allontanamento fisico e il mantenimento di una dipendenza economica o affettiva dai genitori oppure il passaggio ad altri genitori, reali o ideali che siano.

non sono sicuro che i gatti non facciano altrettanto all'idea che li abbia paragonati a dei professori).

La solitudine consiste nel *non avere* genitori.

E "genitori" significa assistenza, protezione, nutrimento, conforto, riferimento, in una parola *aiuto materiale e affettivo*.

la SOLITUDINE
consiste nella totale mancanza
di aiuto materiale e affettivo

Genitori sono infatti tutti coloro o tutto ciò che ci fornisce aiuto e conforto affettivo.

Genitori sono non solo i genitori effettivi ma anche i parenti, gli amici, gli amanti, i fidanzati, il partito, la chiesa, la setta, il gruppo, la banda, il clan.

L'essere soli consiste nell'esserlo *psicologicamente*.

La solitudine infatti non è una condizione materiale (io mi posso sentire solo in mezzo a una folla), ma una condizione *psicologica*.

E per essere veramente soli occorre sentirsi *completamente* soli.

Soli in un universo ostile.

Questa, è la condizione del bambino abbandonato.

E il bambino *deve* essere abbandonato.

Deve vivere la propria condizione di abbandono, per superarla.

L'esperienza della solitudine costituisce indubbiamente una *sofferenza*.

Ma la sofferenza è ineliminabile, dal processo di strutturazione della personalità adulta.

la **sofferenza** è *ineliminabile*
dal processo di strutturazione della personalità adulta

È il serpente che cambia la pelle per crescere.

E cambiare la pelle, spaccarsi tutta la pelle, fa male.

Non ci può essere crescita, senza sofferenza.

La sofferenza è la scala che conduce allo stato di adulto, ad uno stato superiore della coscienza, all'*illuminazione*.[5]

È per questo, che lo *sport* è educativo e aiuta lo sviluppo della personalità adulta: perché abitua a *sopportare la sofferenza*, la sofferenza della tensione, della fatica, dell'abbandono, della solitudine, della sconfitta.

Così è anche l'esperienza del *servizio militare*.[6]

In esso la solitudine e la sofferenza, specie nel periodo iniziale, sono ineludibili.

Non ci sono più né mammina né papino a proteggerti da levatacce notturne, dalle code per mangiare, per lavarti e per andare di corpo, dalle marce sotto il sole o il gelo, dalle guardie estenuanti e dalle noie mortali, dalle sgridate e dalle punizioni solenni, e magari dai commilitoni rozzi, ignoranti, zotici, prepotenti e a volte persino crudeli, che

[5] L'*illuminazione* del Buddha consiste appunto nella consapevolezza della precarietà dell'esistenza e quindi nella conseguente realizzazione del *non attaccamento*, che coincide con l'autocentramento dell'adulto in se stesso, senza riferimenti esterni, senza più dipendenze ed illusorie sicurezze.

[6] L'attuale tendenza ad abolire il servizio militare obbligatorio per gli uomini e renderlo volontario anche per le donne offre un'occasione di sviluppo della personalità adulta ad entrambi i sessi, ma la diminuzione di occasioni di esperienza di allontanamento dai genitori e di solitudine affettiva ha dato luogo ad un aumento dei casi di *nevrosi infantile* (vedi più avanti) clinicamente e statisticamente accertabile. Vi è da dire tuttavia che anche il servizio civile, nonché soprattutto il *volontariato*, se vissuti lontano dalla famiglia e in condizioni disagiate, costituiscono occasioni di crescita psicologica.

ti infagottano le lenzuola e ti riempiono il letto con una secchiata d'acqua fredda in pieno inverno.[7]

Impari per forza a reagire.

O meglio a non reagire, a sopportare, il che richiede infinitamente più forza.

E diventi per forza un adulto.

Ma prima devi soffrire.

Il bambino che rimane solo, che si sente completamente e definitivamente abbandonato dai propri genitori, soffre, si sente perduto, disperato.

Si sente come un relitto alla deriva nello spazio nero e vuoto dell'universo infinito ed ostile.

E piange come un vitello.[8]

Ma *deve* piangere.

Deve piangere con tutto se stesso, con tutta la sua disperazione, con tutta la sua paura, con tutta la sua angoscia, con tutto il suo terrore.

Deve piangere fino a non avere più lacrime, fino a non poterne più, fino ad essere svuotato, sfinito, esausto.

La solitudine deve essere vissuta completamente fino al suo esaurimento, per potere essere superata ed eliminata per sempre dalla nostra vita con la realizzazione della personalità adulta.

---

[7] L'uso della persecuzione della recluta, che ha assunto a volte dimensioni inammissibili ed è stato giustamente condannato, è in sé fondamentalmente sano, perché corrisponde all'*iniziazione*, rito che è da sempre presente nelle società umane e accompagna e sancisce il passaggio all'età adulta.

[8] Anche questa faccenda dei vitelli che piangono, non l'ho mai capita. Io non ho mai visto un vitello piangere in vita mia. E tu?

la SOLITUDINE
deve essere vissuta completamente per essere superata e dare luogo alla personalità adulta

Allora il bambino scopre che alla fine l'universo infinito ed ostile non gli ha fatto niente.

Che nonostante tutto non è morto.

Che nonostante tutto è sopravvissuto.

Che è riuscito a sopravvivere anche senza i suoi amati genitori, senza il loro amore, senza la loro assistenza, senza la loro protezione.

Scopre che può fare a meno, dei suoi genitori.

Che anzi non ha più bisogno, di genitori.

Né reali né ideali.

Mai più.

Scopre di essere diventato forte, invincibile, autosufficiente.[9]

Scopre di essere diventato finalmente un *adulto*.

È sceso all'inferno, ma poi è risalito in paradiso.

Ha sperimentato la morte e la rinascita.

Ha vissuto l'*iniziazione*.[10]

---

[9] Questo processo di crescita, di abbandono del genitore, persino della divinità in quanto genitore ideale, e dell'affermazione della personalità adulta autosufficiente e dominante, è stato magistralmente esposto da F. Nietzsche in *Così parlò Zarathustra* (1884), dove viene trasformato artisticamente nel mito del *superuomo*.

[10] Tutte le culture hanno narrato il rito dell'iniziazione. Dai Sumeri con Tammuz, agli Egizi con Osiride, ai Cananei con Anat, agli Indù con Yama, ai Cinesi con Tripitaka, ai Giapponesi con Izanagi, agli Australiani con Bagadjimbiri, ai Greci con Orfeo, ai Romani con Enea, ai Germani con Hermodr, ai Cristiani con Dante, agli Europei con lo Zarathustra di Nietzsche: «Il rituale, nei gruppi tribali come nelle società

L'adulto non soffre più, di solitudine.

Egli ha imparato non soltanto ad arrangiarsi benissimo da solo, ma addirittura a stare così bene con se stesso da non avere più bisogno degli altri per essere felice.

Non che l'adulto debba essere necessariamente un anti-sociale, un solitario, anche se questa è la sua tendenza naturale, come dimostrano molti animali.

L'adulto può benissimo avere amici, frequentare gruppi, avere un'intensa attività sociale.

Anzi di solito l'adulto, la o il *single*, ce l'ha.

Ma non ne dipende.

Per lei, o per lui, non è un bisogno, ma un *piacere*.

Del quale però può fare a meno.

Quando la situazione la/lo fa stare sola/o con se stessa/o, lei/lui non ha problemi: ci sta benissimo.

Cosa di meglio di una bella serata finalmente da soli in casa propria con la propria musica, il proprio whisky o la propria televisione?

A proposito, sia chiara una cosa.

L'adulto è rigorosamente un **single**.

l'adulto è un single

Non che lo stato di single debba essere uno stato definitivo ed organico, nella vita degli individui umani.

a struttura più complessa, insiste invariabilmente su questo rito della morte e della rinascita, che permette al novizio il 'passaggio' da una fase all'altra della vita, sia che si tratti di quello dalla prima all'ultima fase dell'infanzia, di quello corrispondente dell'adolescenza oppure di quello che segna il trapasso dall'adolescenza alla maturità». (J.L. Henderson, *Miti antichi e uomo moderno*, in *L'uomo e i suoi simboli*, CDE, 1990, pag. 131).

Infatti la personalità adulta è una personalità di passaggio, nell'evoluzione naturale.

Il suo fine è la personalità genitoriale, la quale è organica alla formazione di una famiglia e alla riproduzione della specie.

Ma l'esperienza dello stato di adulto e quindi di single e il conseguente sviluppo della personalità adulta sono indispensabili, all'evoluzione naturale.

Non si può diventare genitori se prima non si è fatta un'esperienza da single. E chi ha cinquant'anni, tre figli un marito e due cani, e non è mai stato single perché non aveva ancora letto il mio libro, sarà infelice per sempre? No. Basta che cominci a realizzare il fatto di non essere più un bambino, ma di essere un adulto bastante a se stesso. A questo punto può anche tenersi tutti i mariti, i figli e i cani che vuole. E finirà di assillarli con la sua nevrosi.

La seconda condizione dello stato di adulto è l'*autoaffermazione*.

Autoaffermazione significa imposizione all'ambiente, suo controllo e suo dominio.

L'autoaffermazione è una conseguenza della solitudine, in quanto quando l'individuo completamente solo deve necessariamente provvedere al proprio sostentamento materiale e affettivo e imparare a fare a meno dell'aiuto degli altri.

Ma attenzione!

A volte la solitudine senza l'autoaffermazione può condurre al suicidio.

Infatti ove non vi sia autoaffermazione e quindi l'attuazione completa dello stato di adulto e l'identificazione con la personalità adulta, il bambino rimasto solo si sente perduto e non riesce più a dare un senso alla propria esistenza.

L'*autoaffermazione*, al pari della solitudine, è quindi *necessaria*, alla realizzazione della personalità adulta.

Ma deve essere *reale*.

Ciò significa che il bambino, per diventare adulto, non soltanto deve vivere solo, ma deve diventare *autonomo*, deve cioè *automantenersi*.

E conquistare un minimo di *successo sociale*.

AUTOAFFERMAZIONE
significa
automantenimento e successo sociale

Le esperienze della solitudine e dell'autoaffermazione sono tuttavia fondamentalmente delle *esperienze psichiche*, anche se sono rafforzate da una condizione materiale effettiva di distacco dai genitori e di dominio ambientale.

Esse possono quindi realizzarsi e sussistere anche in una condizione esistenziale in cui la presenza dei genitori persiste ma non è più vissuta come sostanziale bensì soltanto come *formale*.

Cioè ove lo stato psicologico effettivo sia quello della solitudine e della autoaffermazione.

In quanto

lo stato di adulto
può essere anche soltanto uno
stato psicologico

Quando l'identificazione con la personalità adulta si sarà realizzata, quando l'individuo avrà dimostrato a se stesso e agli altri di essere capace di affrontare e risolvere *da solo* tutti i problemi e le difficoltà che la vita gli presenta, quando avrà dimostrato a se stesso e agli altri di essere capace di *dominare* l'ambiente che lo circonda ed anzi di *affermare* la propria personalità sull'ambiente e sugli altri individui, quando cioè avrà raggiunto la sua totale *autosufficienza* e *autoaffermazione*, allora e soltanto allora egli sarà un vero adulto.

Allora e soltanto allora, egli avrà portato a compimento il processo di strutturazione della sua personalità adulta.

E lo saprà.

E allora acquisterà quella stima in se stesso, riempirà il suo vaso di quell'amore per se stesso, che abbiamo visto essere la caratteristica dell'adulto.

Conquisterà cioè l'*autostima*.

L'autostima è il *risultato* della strutturazione della personalità adulta.

Ma è anche la *prova* della presenza della personalità adulta in un individuo.

l'autostima
è il risultato e la prova
della strutturazione della personalità adulta

Autostima vuol dire *autocentratura*.

Ricordi? Il bambino è eterocentrato, l'adulto è *autocentrato*.

Significa che è centrato su stesso e non sugli altri.

Significa che è egli stesso il centro del suo mondo, quello che genera i suoi giudizi, le sue decisioni, la sua felicità.

La sua felicità non dipende dagli altri ma da se stesso.

l'adulto è autocentrato:
la sua felicità non dipende dagli altri
ma soltanto da se stesso

L'adulto è *al centro del suo universo.*

Perché è sempre *in contatto con se stesso.*

Chi ha radicalizzata nel proprio inconscio la personalità adulta ha infatti sempre presente nella mente cosciente la propria autoimmagine di adulto.

l'adulto è sempre in contatto con se stesso: ha sempre presente la propria autoimmagine di adulto

Significa che egli ha di sé un'*autoimmagine di adulto* in ogni situazione, un'autoimmagine vincente che può essere quella di un playboy, di una mangiatrice d'uomini, di un cacciatore, di una seduttrice, di un conquistatore, di una donna fatale, di un dominatore o di una dominatrice, di uno squalo, di un guerriero o qualche altra diavoleria fantasmatica del genere.

L'importante è che l'immagine sia suggestiva, affascinante, vincente.

Tu sarai diventato definitivamente adulto soltanto quando sentirai tuo il *motto dell'adulto:*

**Io sono io
al diavolo tutti.**[11]

---

[11] La versione terapeutica, che deve raggiungere la massima efficacia contro qualsiasi altra considerazione, è «*Io sono io, fanculo tutti!*». Volgare ma funziona.

La strutturazione della personalità genitoriale

La personalità genitoriale richiede lo stesso processo di strutturazione della personalità adulta: l'assunzione di un modello, la memorizzazione di una sua immagine, la sua imitazione, la sua radicalizzazione, l'identificazione con esso.

E analogamente, come per lo sviluppo della personalità adulta, anche lo sviluppo della personalità genitoriale ha una condizione preliminare, che in questo caso è: *l'amore per gli altri.*

> *l'amore per gli altri*
> *è la condizione preliminare dello sviluppo*
> *della personalità genitoriale*

Non si può diventare genitori senza comprensione, compassione, pietà, amore per gli altri.

L'amore per gli altri, l'*amore universale*, abbiamo visto, travalica i limiti della famiglia e dell'amicizia.

L'acquisizione dell'amore per gli altri è normalmente un risultato dell'*educazione*.

Se noi non riceviamo un'*educazione morale*, e non la riceviamo sin nei primi anni in cui la nostra memoria è molto ricettiva, imparare ad amare gli altri diventa difficile. Ma amare gli altri non è un lusso: è la *conditio sine qua non* per essere felici, perché solo l'amore dà la felicità totale. Dunque l'educazione morale serve in ultima analisi ad essere felici.

Realizzata dunque questa condizione preliminare, si può intraprendere il viaggio evolutivo che conduce alla costruzione della personalità genitoriale.

L'*assunzione* di un modello comportamentale genitoriale da parte dell'adulto consiste nella sua *scelta*, che in questo caso deve essere *conscia*, di un *particolare genitore* come proprio modello di *crescita morale*.

Infatti, diversamente dal processo di strutturazione della personalità adulta, che ha come sua causa la *necessità* di controllo dell'ambiente in funzione della sopravvivenza e perciò non è il risultato di una libera scelta ma di un processo necessario e quindi automatico, il processo di strutturazione della personalità genitoriale è il risultato di un orientamento culturale e quindi di una *scelta morale*.

Non è nemmeno necessario, diversamente dal modello adulto, che il modello genitoriale sia *materialmente* presente nell'ambiente dell'adulto che sceglie di diventare genitore, anche se l'esempio quotidiano di un genitore che si dedica a coloro che hanno bisogno di aiuto è senz'altro un buono stimolo alla sua imitazione.

Spesso il modello che l'adulto sceglie di imitare per trasformarsi in genitore è un *modello ideale* che l'adulto prende dal *mondo virtuale* (tradizione, letteratura, cinema, televisione).

Le grandi personalità morali dell'umanità, come Gesù, Buddha, Maometto, Gandhi, sono le mete preferite del pellegrinaggio spirituale che conduce alla vetta dell'altruismo, della dedizione, dell'amore universale.

In altri termini, alla personalità genitoriale.

Come abbiamo visto a proposito dell'adulto, si ha come secondo processo della sua strutturazione la *memorizzazione di un'immagine* del modello genitoriale.

L'immagine che viene memorizzata del modello genitoriale, proprio perché esso è spesso un modello ideale, è anch'essa spesso un'immagine *idealizzata*.

L'iconografia religiosa offre un'ampia scelta, di immagini di questo tipo.

Il ricorso all'immagine, da parte dell'adulto che vuole trasformarsi in genitore ideale, non si limita, come nel bambino che aspira all'adulto, ad una sua visualizzazione mentale, ma si estrinseca nella contemplazione di *immagini materiali* come statue, dipinti, figurine, fotografie, a cui l'adulto ricorre o che porta addirittura con sé e che divengono facilmente l'oggetto di un vero e proprio culto.

Questa è un'operazione psicologicamente corretta, in quanto l'immagine materiale è un *simbolo* del modello al quale l'adulto aspira, ed assolve ad una funzione traente nei confronti del processo successivo di imitazione.

Come per il modello adulto nel bambino, la ricorrenza della visualizzazione dell'immagine del modello genitoriale conduce l'adulto alla sua riproduzione *dinamica*, cioè all'*imitazione* del modello comportamentale da cui l'immagine è stata derivata.

L'imitazione del modello è, come per il bambino l'imitazione dell'adulto, il processo più impegnativo e complesso, che richiede tempi lunghi ed applicazione costante.

Esso costituisce quell'*esperienza* che ho già indicato come condizione essenziale al processo di strutturazione della personalità evolutiva naturale.

Soltanto l'esperienza abituale dell'imitazione del modello comportamentale genitoriale, e quindi l'effettiva dedizione a soggetti bisognosi di aiuto, può infatti dare luogo al quarto processo della strutturazione della personalità genitoriale: la sua radicalizzazione.

Con la *radicalizzazione* del modello genitoriale si ha la memorizzazione sistematica e completa di tutti i particolari del protocollo comportamentale della personalità genitoriale prescelta come modello. Essa andrà a costituire per l'adulto non più soltanto un modello ideale, bensì una sua vera e propria *personalità alternativa* che l'adulto sarà in grado di assumere mediante un *atto di volontà* tutte le volte che le circostanze lo richiederanno, cioè tutte le volte che qualcuno gli si presenterà nella condizione di bisognoso di aiuto e quindi nella personalità di "bambino".

Questo vale per tutti gli esseri viventi: è questo appunto l'*amore universale*, che costituisce la caratteristica fondamentale della personalità genitoriale.

L'atto di volontà che attiva la personalità genitoriale mostra come tale attivazione sia *opzionale*, e quindi più difficile da attuare, in quanto generata da una spinta morale e non da una necessità vitale.

L'assiduità dell'assunzione della personalità genitoriale da parte dell'adulto farà sì che questa personalità divenga la sua personalità principale, quella con la quale egli si identifica più di frequente, fino a divenire la sua personalità preponderante e dominante.

Si avrà quindi l'*identificazione* con la personalità genitoriale, ossia la trasformazione dell'adulto in genitore.

Come l'identificazione con la personalità adulta richiede, per compiersi, l'esperienza dello stato di adulto, così l'identificazione con la personalità genitoriale richiede, per compiersi, l'esperienza dello *stato di genitore*, che consiste nella *dedizione agli altri*.

Infatti

soltanto con la dedizione agli altri si realizza lo stato genitoriale

Come l'allontanamento dai genitori e quindi la solitudine, così anche la dedizione agli altri è normalmente, nel processo naturale di strutturazione della personalità genitoriale, uno stato concreto, cioè *esistenziale*.

Ma come per la solitudine, così anche per la dedizione agli altri, quello che conta è l'*atteggiamento mentale*.

Quindi

la dedizione agli altri può essere anche soltanto uno stato psicologico

Il monaco che sta rinchiuso nel monastero, separato dal resto del mondo, e quindi di fatto non ha con gli altri una relazione esistenziale di assistenza ma nutre dentro di sé un amore infinito per gli altri e dedica ad essi la propria opera intellettuale scrivendo ad esempio appelli alla pace e all'amore, si identifica con la sua personalità genitoriale.

È ciò che hanno fatto, in solitudine, i grandi santi.

L'identificazione con la personalità genitoriale è la quinta ed ultima fase del processo di strutturazione.

Completata quest'ultima fase, l'adulto si trasformerà in un genitore e il processo di evoluzione psicologica naturale si sarà completato.

Come la trasformazione in adulto porta con sé in dote

l'autostima, così la trasformazione in genitore porta con sé in dote il *superamento della paura degli altri*, che ne è il risultato e la prova.

il risultato e la prova della strutturazione della personalità genitoriale è il superamento della paura degli altri

Questo perché **non si può temere colui che si ama**.[1]

E poiché il genitore è colui che ama tutti indistintamente, avendo realizzato l'amore universale, egli non può più temere gli altri, non può più averne paura.

Infatti un genitore che ha paura degli altri non è un vero genitore perché non è capace di proteggere né se stesso né tanto meno gli altri.

È un bambino che fa finta di fare il genitore.

Lo stato di genitore biologico, e quindi la presenza della prole, è certamente uno stimolo forte, all'identificazione con la personalità genitoriale, che è radicata geneticamente e quindi è il risultato di un *istinto*, specialmente materno.

---

[1] Questa affermazione sembra essere in contraddizione con la tradizione religiosa che attribuisce al fedele proprio i due sentimenti dell'amore per Dio e del timore di Dio. Ma il timore di Dio è un sentimento esposto nel Vecchio Testamento ed appartiene specificamente alla tradizione ebraica, che definisce Dio principalmente Giusto. Il Cristianesimo, rifacendosi al Nuovo Testamento, definisce invece Dio principalmente Misericordioso. Dal punto di vista *psicologico*, questi due sentimenti non possono sussistere contemporaneamente in uno stesso individuo e in riferimento allo stesso oggetto, perché amore è *identificazione*, e nessuno può avere timore di se stesso. Il punto di vista *teologico*, ovviamente, trascende quello psicologico, quindi essi possono anche sussistere, in ambito religioso.

Ma non è una garanzia della sua *strutturazione*.

Ciò per due motivi.

Il primo, e principale, è che perché il processo di strutturazione della personalità genitoriale avvenga occorre, come abbiamo visto, che si realizzino *tutti* i processi intermedi: l'assunzione di un modello, la memorizzazione di una sua immagine, la sua imitazione, la sua radicalizzazione e l'identificazione con esso.

Il secondo motivo è che l'identificazione con la personalità genitoriale seguente all'attivazione di un istinto genetico rimane attiva finché sussistono le condizioni che la attivano.

Cioè la presenza della prole, e in particolare della prole *neonatale*, che è quella capace di stimolare la reazione istintuale del genitore biologico.

Ma si dissolve non appena quelle condizioni vengono meno.

Quindi l'identificazione con la personalità genitoriale non è in questo caso il risultato di una strutturazione della personalità genitoriale ma di un'*identificazione episodica* con questa personalità, come si vede chiaramente anche negli animali, che si comportano da genitori quando hanno la prole e da adulti quando non l'hanno.

L'identificazione completa e sistematica con la personalità genitoriale comporta infatti una dedizione assistenziale che non si esaurisce nel rapporto biologico con i propri figli: essa sussiste anche al di fuori di esso, in quanto non è semplicemente l'espressione di un istinto genetico ma il risultato di una *scelta morale* attuata mediante un *atto di volontà* reiterato.

Essere genitori semplicemente perché si hanno dei figli non fa quindi di noi dei genitori.

avere dei figli non fa di noi dei genitori

Non solo, ma l'identificazione con la personalità genitoriale *nell'ambito dell'allevamento della prole* è un semplice stato biologico comune anche agli animali.

Esso da solo non realizza l'*evoluzione psicologica* dell'essere umano.

Ciò che la realizza è invece l'estensione della personalità genitoriale *al di fuori dell'ambito riproduttivo.*

Perché passare dalla capacità di amare una persona o al più due o tre per un periodo circoscritto della nostra vita alla capacità di amarne molte e infine tutte per tutta la vita, è un enorme passo avanti, sul piano dell'evoluzione psicologica.

Ma per noi umani si tratta di qualcosa di ancora più significativo, che travalica lo stesso piano psicologico e biologico.

È ciò che noi chiamiamo *morale* o *spirituale.*[2]

La personalità genitoriale costituisce infatti non soltanto l'apice dell'evoluzione psicologica naturale ma anche l'inizio dell'evoluzione spirituale dell'essere umano, il primo passo nella differenziazione biologica dagli animali.

---

[2] Nell'ambito della *Psicosintesi*, la psicologia fondata da Roberto Assagioli, lo spirituale viene scientificamente definito come «ciò che va al di là degli interessi e delle esigenze del singolo individuo ma si estende all'intera umanità e all'intero universo» (una definizione analoga era già stata data due millenni e mezzo prima nella cultura orientale dal Buddha, che aveva indicato come obiettivo dell'evoluzione umana il travalicamento dell'Ego individuale) e viene denominato *transpersonale* (cfr. *Principii e metodi della psicosintesi terapeutca*, op. cit.).

la personalità genitoriale
costituisce l'apice
dell'evoluzione psicologica naturale
e l'inizio
dell'evoluzione spirituale dell'essere umano

Vedremo nell'ultimo capitolo come una quarta personalità, che va al di là della stessa personalità genitoriale, sia lo scopo finale della nostra evoluzione psicologica, morale e spirituale.

La non strutturazione della personalità adulta

La strutturazione della personalità adulta è un prodotto dell'evoluzione naturale ed in natura avviene automaticamente.

Tuttavia ciò richiede la presenza di *condizioni ambientali* che permettano e favoriscano quei processi di assunzione, memorizzazione, imitazione, radicalizzazione e identificazione con il modello comportamentale adulto che abbiamo visto più sopra.

Ove tali condizioni, tutte o in parte, vengano a mancare e quindi anche uno solo di quei processi non trovi attuazione, la strutturazione della personalità adulta non può avvenire.

È quanto sta accadendo attualmente nelle società ricche ed assistenziali, ove spesso gli adolescenti non trovano modelli adulti idonei e non sono messi nelle condizioni di affrontare da soli le difficoltà della vita.

Come abbiamo visto, il primo processo da realizzarsi è l'*assunzione* da parte del bambino di un modello.

Ma questo primo passo è condizionato dalla effettiva presenza nell'ambiente del bambino di un modello comportamentale adulto.

La cosa non è così facile come sembrerebbe.

Sono moltissimi, i genitori che non hanno strutturato la

loro personalità adulta e che quindi non sono in grado di fornire ai loro figli un modello comportamentale adulto ma gli presentano un modello sostanzialmente infantile.

Un bambino tenuto chiuso nell'ambiente familiare rimarrà quindi privo di modelli comportamentali adulti da imitare ed anzi il suo istinto di imitazione si applicherà a modelli infantili che rafforzeranno e radicalizzeranno la sua personalità infantile.

Poiché la sua tendenza all'imitazione costituisce un programma genetico (comune a tutti gli animali), egli imiterà comunque i genitori, strutturando in misura abnorme la propria personalità infantile e diventando così una piaga insopportabile al pari e anche di più dei propri genitori, perché ha dalla sua l'acceleratore della sua effettiva incapacità alla sopravvivenza dovuta alla sua effettiva condizione infantile.

Tenterà probabilmente, poverino, di imitare modelli virtuali (presi magari dai cartoon televisivi) in sostituzione dei modelli reali mancanti, ma presto questo suo tentativo verrà abbandonato, sopraffatto come sarà dalla realtà e dall'impossibilità di una loro realizzazione.

E resterà così un eterno bambino che i genitori-bambini si terranno in casa per tutta la vita sfruttandolo affettivamente come genitore e quindi pretendendone la presenza costante, l'attenzione totale, l'affetto esclusivo.

Finché non verrà rapito, come avviene spesso, da una *moglie-bambina* o da un *marito-bambino* che prenderà il posto dei suoi genitori-bambini senza cambiare una virgola nella sua vita se non l'indirizzo postale (e in casi particolarmente sfigati nemmeno quello).

Ammettiamo che il bambino trovi nell'ambiente nel quale vive un modello comportamentale adulto valido e positivo.

Deve a questo punto, come abbiamo visto, *memorizzarne* un'immagine.

Il processo di memorizzazione dell'immagine della personalità adulta avviene automaticamente a seguito di una spinta emotiva o di una ripetizione.

Ma se non si realizzano né spinta emotiva né ripetizione del modello comportamentale adulto, il bambino non ha la possibilità di procedere alla memorizzazione di un'immagine e quindi il processo si arresta.

Ammettiamo che il modello fornisca al bambino le condizioni per la memorizzazione di una sua immagine.

Prendiamo, per semplificare, il caso in cui il bambino si limita ad un solo univoco modello e lo memorizza in una sua immagine per intero, con tutti i suoi pregi e i suoi difetti.

Ad esempio il padre.

A questo punto deve potersi realizzare l'*imitazione* del modello.

Non è tuttavia cosa così facile come sembra, per un bambino, l'imitazione di un adulto, anche se è il padre.

A parte le difficoltà intrinseche dovute alle sue limitazioni psichiche e fisiche, resta il fatto, incredibile ma vero, che spesso è proprio l'ambiente familiare, che dovrebbe essere un crogiuolo educativo, ad ostacolare il suo processo di imitazione e quindi di crescita.

Perché se non lo ostacolassero i genitori si ritroverebbero in famiglia un ufo che si comporta come un adulto (con tutte le conseguenze positive ma anche negative del caso), ma che loro continuano a vedere e considerare come un bambino.

Eh, sì, perché la personalità del padre che egli desidera

imitare, quella adulta, è in realtà la meno accettata e meno amata, nell'ambiente familiare.

Specialmente dalla madre.

Anzi, per dirla tutta, è francamente odiata, dalla madre.[1]

Il padre nell'ambito della famiglia vive, o dovrebbe vivere, prevalentemente la sua personalità genitoriale, non quella adulta.

Ma è quella adulta, che il bambino vuole emulare, perché sono le caratteristiche della personalità adulta quelle che gli promettono una totale e sicura capacità di controllo dell'ambiente e di affermazione della personalità.

E le caratteristiche della personalità adulta, specie maschile, lo abbiamo visto, sono la competizione, la prevaricazione, la predazione, il menefreghismo, l'uso sistematico degli altri e l'egocentrismo.

L'ho detto: l'adulto è uno che non chiede niente a nessuno, si prende quello che vuole e non dà niente a nessuno.

Un vero egoista.

Certo, in fatto di egoismo il bambino è un piccolo esperto, ma quando tenta di fare il competitivo, il prevaricatore, il predatore, il menefreghista, lo sfruttatore, viene immancabilmente rimproverato, colpevolizzato, punito.

Ah, bei tempi quando il mondo era costituito da una tenda, una prateria e quattro animali disgraziati che non aspettavano altro che essere infilzati e cotti allo spiedo!

---

[1] La personalità adulta del padre è infatti inevitabilmente *poligama*, come quella di tutti i maschi adulti di tutte le specie mammifere. E la madre, poiché è anche una moglie, è normalmente contraria alla poligamia del marito. Non si capisce se è contraria soltanto alla poligamia del marito o alla poligamia tout court. Meriterebbe un approfondimento. Mi dispiace di fare lo psicologo e non il sociologo. Non lo saprò mai.

Allora sì, che i giovani Sioux, o Masai, potevano dimostrare ai loro fieri genitori quanto erano bravi, coraggiosi e spietati nell'inseguire le prede più facili che il bravo padre aveva messo a loro disposizione.

E bastava farsi fare un tatuaggio sul petto per sancire il proprio stato di adulto.

Oggi le cose sono molto più complicate.

È indubbiamente colpa dell'entropia.[2]

Ma provate a spiegarlo, a un bambino di dodici anni che vuole diventare un uomo.

Non sa nemmeno cos'è, l'entropia.

La cosa vale anche per le femminucce, naturalmente, con qualche piccola differenza.

Non il fatto di non sapere cos'è l'entropia, ma l'assunzione e il perseguimento del modello di adulto.

L'ideale di femmina adulta, indipendente, autosufficiente, autonoma, single è l'avventuriera.

È la giovane albanese o macedone o nigeriana o russa che viene nei ricchi paesi d'Europa e facendo l'entraîneuse nei night club e facendosi uno o due o tre (in successione o contemporaneamente) amici uomini ricchi e ben pasciuti con i quali lei è *molto* carina finisce per farsi comprare dagli stessi l'appartamento, l'auto, la pelliccia e smettere prima o poi di fare l'entraîneuse nei night club e

---

[2] L'entropia è il progressivo ma inarrestabile aumento della complessità (e quindi del disordine) dell'Universo. Chissà perché, ma questo concetto dell'entropia ha sempre avuto molta difficoltà ad essere capito dalle persone comuni. C'è un modo pratico efficacissimo, per capirlo: sposarsi. Non so però se vale la pena di farlo soltanto per capire cos'è l'entropia. Secondo me è meglio fregarsene e continuare ad ignorarlo (tipico ragionamento da adulto).

diventare una signora rispettata, ammirata e invidiata perché molto più bella e sexy delle sue vicine borghesi.

Oppure, più nobilmente, la donna manager, professionista, che ha realizzato il successo sociale fino a poco tempo fa monopolio degli uomini, ma che per questo rinuncia alla sua funzione di madre.

Ma farsi sposare e farsi mantenere dal marito non è una vergogna, tutt'al più è una debolezza sul piano economico in caso di divorzio.

Infatti assolve ad un istinto biologico atavico.

Il voler fare contemporaneamente la manager e la madre crea, come molte donne hanno provato sulla loro pelle, dei grossi preoblemi. In natura, il maschio ha sempre provveduto al procacciamento del cibo e alla difesa del nucleo familiare, mentre la femmina si è occupata dell'allevamento della prole.

L'umanità è andata avanti così per cinquanta milioni di anni, che non sono una bazzecola.

E un istinto biologico è un istinto biologico ed è duro a morire.

Mi dirai tu, bella signora: «Ma l'umanità deve progredire!»

È vero.

E difatti è progredita: adesso le signore si fanno il canestro, anche se non proprio nei night club, nelle fabbriche, negli uffici, negli studi professionali, e contemporaneamente fanno le mamme, le mogli e le domestiche.

E sono molto scocciate che i signori uomini continuino semplicemente a farsi il canestro come prima nelle fabbriche, negli uffici, negli studi professionali, e basta.

Gli farebbe piacere che anche loro facessero insieme i papà, i mariti e i domestici.

Ma loro non ne vogliono sapere.

Loro vogliono continuare a fare i cacciatori e passare la giornata fuori della caverna, ritornare la sera con la preda, sedersi a tavola e mangiare in santa pace senza nessuno che gli rompa le balle.

Come si risolve la questione?

Semplice.

Non si risolve.

Non per i prossimi cinquanta milioni di anni, per come le cose stanno attualmente. In realtà, la soluzione ci sarebbe: uomini e donne che fanno del successo professionale e sociale una loro ragione di vita non dovrebbero mettere su famiglia, la quale ha diritto ad una dedizione a tempo pieno. Ma questa soluzione è talmente drastica che diventa difficilmente praticabile, perché va contro l'istinto riproduttivo.

Ma ritorniamo ai nostri due rampolli che devono crescere e diventare adulti.

Prendiamo l'ometto, che è quello più ostico da far crescere, primo perché è il cocco della mamma che non lo vuole mollare, secondo perché la tradizione vuole che sia il primo e il più impegnato a fare carriera e questo è per lui, che sta benissimo così com'è, coccolato e vezzeggiato, un programma assolutamente cretino.

Ma ammettiamo, per amore della scienza, che il nostro ometto voglia invece crescere e si metta giudiziosamente, come da programma genetico, ad imitare il suo papà.

Il nostro ometto sta dunque imitando il suo papà alla grande: fuma sigari, legge giornaletti pornografici, chatta su Internet e tocca il sedere a tutte le ragazze che gli capitano sottomano (tanto la Cassazione ha detto che non è reato).

Papà è in cuor suo fiero di lui ma non lo dice per non contrariare la mamma (che gli rinfaccia puntualmente di dare il cattivo esempio), la quale, odiando i maschi adulti, non può fare a meno di odiare anche nel proprio figlio un tale modello.

Quindi il risultato è che il povero bambino che tenta di imitare l'adulto viene bloccato nel suo nobile tentativo e costretto a continuare *sine die* a fare il bambino.

Con buona pace di tutti.

E così, ancora una volta, il processo di strutturazione della personalità adulta da parte del bambino si blocca e lui si candida a diventare un bell'esempio di soggetto affetto da nevrosi da coazione all'attivazione della personalità infantile per tutta la vita.

Infatti, se non avrà il coraggio (e un bambino dove lo trova, il coraggio?) di mandare a quel paese i genitori e andarsene ad abitare per conto suo in un appartamento del centro storico in mezzo a drogati e prostitute (come il gatto che lascia la mamma gatta e si addentra da solo nel bosco), facendo l'idraulico o magari lo spacciatore per vivere, ma passerà invece, come è buona tradizione borghese, dalla famiglia di origine alla famiglia di formazione, cioè da una mamma all'altra (la cara sposa), il povero bambino non crescerà mai e con dieci centimetri di pelo sotto le ascelle continuerà a ciucciare il latte dalle mammelle della mamma (diventata sua moglie).

A questo punto immaginiamo, sempre per amore della scienza, che sia il papà sia la mamma siano due zingari balcani per cui il papà fa quello che vuole e prende a cazzotti negli occhi la mamma se tenta anche soltanto di aprire bocca e la sbatte anzi a chiedere l'elemosina con l'ultimo nato appeso alle mammelle, per cui che il figlio aspirante adulto fumi sigari, legga giornaletti pornografici, chatti su Internet e tocchi il sedere a tutte le ragazze che gli capitano sottomano, gli sta benissimo (tranne il chattare su Internet, perché è contrario alle tradizioni degli zingari balcani).

In questa situazione sublime per il bambino e favorevole agli scopi ultimi della Specie, l'aspirante adulto ha tutto il tempo e il modo di procedere nella sua puntigliosa imitazione del padre perdigiorno, donnaiolo, violento e dittatore, nonché fecondatore infaticabile.[3]

Affinché egli *radicalizzi* nella sua memoria il modello comportamentale adulto occorre però che la sua imitazione del padre proceda indisturbata ed anzi progressivamente sempre più fedele e completa per un periodo sufficientemente lungo.

Ma se, come spesso accade anche nelle migliori famiglie di zingari balcani, il padre se lo vende a una famiglia sterile di Biella per comprarsi l'ultimo modello di roulotte o di Mercedes (tanto – è quello che si dicono sempre i padri – in questo modo lui – il figlio, ma anche il padre – va a stare meglio), il processo di radicalizzazione si blocca.

Perché al padre adottivo di Biella non interessa un figlio che fuma sigari, legge giornaletti pornografici, chatta su Internet e tocca il sedere a tutte le ragazze che gli capitano sottomano (chattare su Internet sì, perché rientra nelle tradizioni dei genitori adottivi di Biella).

Anzi ha scritto esplicitamente nel contratto di acquisto che non vuole un figlio così, ma un figlio che stia seduto con loro davanti alla televisione alla sera, rida con loro alle battute di Mike Bongiorno, vada alla Bocconi e ritorni a casa con la borsa piena di bei voti e, a proposito di voti, voti per lo stesso partito dei suoi genitori.

E così siamo da capo.

[3] Che è l'unica cosa che interessa alla Specie, la quale, in forza di questo guadagno, perdona tutto il resto (senza nessuna fatica, peraltro, perché del resto non gliene frega niente).

Il processo di formazione di un autentico esemplare adulto di zingaro balcano si blocca e l'umanità si becca in cambio un bambino adottivo di Biella (ex bambino di Grattòvitza) con dieci centimetri di pelo sotto le ascelle e due occhi da cerbiatto ferito.

Se però, per un caso fortunato per il nobile popolo degli zingari balcani e per la propagazione della loro razza, il processo di imitazione del padre da parte del piccolo zingaro venduto alla famiglia di Biella era ormai talmente avanzato da avere dato luogo alla radicalizzazione del modello paterno nella sua memoria, egli passerà inevitabilmente, come da programma naturale, alla quinta ed ultima fase del processo di strutturazione della personalità adulta: la sua completa *identificazione* con quel modello.

Questo è il momento più traumatico, più drammatico e quindi più delicato, per la realizzazione della strutturazione della personalità adulta.

Immaginate di avere un figlio di diciotto anni[4] che entri ed esca di casa quando vuole comprese le ore notturne, che porti a casa, sia pure in camera sua dove non vuole nessuno a rompergli le palle, emarginati e avanzi di galera di ogni tipo, che decida di andare o non andare a scuola quando gli pare, che non chiede più soldi perché o li ruba in casa o se li procura fuori casa con attività sco-

---

[4] Era questa, negli anni Cinquanta e Sessanta, un'epoca che ormai è preistoria (il passato millennio!), l'età dell'adolescenza, ovvero del passaggio dalla personalità infantile a quella adulta. Ed era già spostata in avanti rispetto a vent'anni prima (negli anni Quaranta i ragazzi di diciotto anni facevano la guerra) e a secoli prima, in epoca romana, in cui a quattordici anni si passava dalla condizione di *puer* a quella di *adulescens* (e si veniva allontanati dalla famiglia) e a sedici anni da quella di *adulescens* a quella di *vir* (e si entrava nell'esercito).

nosciute che al solo immaginarle la mamma si sente male, che tiene lo stereo a tutto volume in qualunque ora del giorno e della notte infischiandosene ed anzi mandando a quel paese genitori, familiari, vicini, vigili e carabinieri, con i quali peraltro ha dimestichezza essendo stato ospitato già un paio di volte nelle camere di sicurezza dei rispettivi Comandi, e che di notte faccia nelle strade della città delle gare automobilistiche lanciando la *sua* auto a tutta velocità verso un precipizio, per dimostrare ai coetanei e a se stesso che è capace di saltarne fuori all'ultimo momento, dopo lo sfortunato compagno che invece rimane impligliato nella leva del cambio e finisce giù per il precipizio con tutta l'auto lasciandoci la pelle.[5]

Ma chi lo vuole, oggi, un figlio così?

Invece di esserne fieri, i genitori di oggi, se sono dei gentiluomini e delle gentildonne (e i genitori di Biella, sia pure sterili, lo sono), lo portano in una clinica per malattie nervose e lo fanno mettere sotto sedativi per un periodo indeterminato.

Se sono delle carogne lo denunciano alla magistratura e lo fanno rinchiudere in galera, liberandosene così per sempre.

Ma si sono dimenticati o non sanno che una volta avveniva esattamente così, la trasformazione dei bambini in adulti nelle società industrializzate.[6]

---

[5] Trama di *Gioventù bruciata*, un film di Nicholas Ray del 1955, che rappresenta le procedure correnti della costruzione del modello adulto da parte della gioventù americana dell'epoca.

[6] Naturalmente tutta questa descrizione è, oggi, un'esagerazione (ma non lo era, effettivamente, due generazioni fa). Ci si accontenterebbe di allevare un figlio che si sapesse fare un versamento sul conto corrente da solo e magari, quando siamo impegnati altrove, anche due

Ammettiamo ancora una volta che dei valorosi genitori si tengano in casa un figlio come quello sopra descritto munendosi di quantità industriali di psicofarmaci e pronunciando frasi storiche del tipo 'Dio me l'ha dato, guai a chi me lo tocca' o 'Anche se è un delinquente, è sempre mio figlio'.

Non è sufficiente.

Ma come, direte voi?

E che diavolo?!

Bisogna farsi ammazzare, per crescere un figlio?

Molto di più, molto di più.

Bisogna perderlo.

Eh, sì, perché affinché si realizzi veramente l'identificazione con la personalità adulta, cioè affinché vostro figlio diventi veramente un adulto, occorre che ci sia quella condizione che abbiamo visto essere essenziale al processo di strutturazione della personalità adulta, in quanto soltanto con essa può realizzarsi la trasformazione del bambino in adulto: lo *stato esistenziale di adulto*.

Lo stato esistenziale di adulto consiste, come abbiamo visto, nell'*allontanamento dai genitori* e cioè nella *solitudine*.

Se il bambino, o meglio il giovane, non affronta da solo le difficoltà ambientali e non impara ad arrangiarsi da solo, a risolversi da solo i suoi problemi e ad assumersi da solo le sue responsabilità, senza protezione alcuna da parte dei genitori o di chi per essi, non può portare a compi-

---

uova al tegamino. E che prenda sul serio e con responsabilità i propri doveri sociali e di affermazione individuale: cioè imparare un mestiere e mantenersi da solo andando a vivere, come tutti gli adulti, per conto suo. Ma, per ottenere tutto questo, occorre affrontare e sopportare comunque una rivoluzione, piccola o grande che sia.

mento il processo di identificazione con la personalità adulta che pure può avere avviato nel processo di imitazione del modello adulto.

Ma per affrontare *da solo* le difficoltà ambientali occorre che egli viva *realmente* da solo, senza aiuto.

Ossia che se ne vada a vivere per conto suo e si stacchi definitivamente dai genitori.[7]

Il che non significa che egli debba rompere il rapporto affettivo con i genitori.

Deve interrompere soltanto il rapporto assistenziale e di dipendenza affettiva e materiale.

Se papino e mammina se lo tengono stretto in casa con la scusa che non si trova un impiego adeguato alla preparazione, all'intelligenza, alla sensibilità e allo stato sociale del loro pargolo di venticinque anni, il suddetto pargolo di venticinque anni non può fare altro che continuare a fare il pargolo di venticinque anni e l'unica cosa a cui può aspirare è diventare un pargolo di trent'anni.

E non basta neppure che papino e mammina gli procurino una casa magari vicina alla loro così possono continuare la loro sorveglianza e la loro assistenza e che lui continui a portare il bucato da mammina che in cambio gli dà

[7] In tutte le specie mammifere, soprattutto in quelle individuali (gatti, tigri, pantere, giaguari ecc.) ma anche in quelle sociali (lupi, cavalli, elefanti ecc.), il distacco del giovane adulto dal branco, che altro non è che l'harem del vecchio maschio genitore, è una regola. Il lupo solitario non è un deejay notturno (personaggio di un film famoso) ma una realtà biologica. A proposito, per mantenere la tradizione inaugurata con il mio libro *Come smettere di farsi le seghe mentali e godersi la vita* (op. cit.), indìco un concorso: chi mi scriverà il titolo del film nel quale c'è il personaggio del deejay detto "lupo solitario" verrà invitato a fare un giro sul mio yacht. Prepara il costume da bagno! Naturalmente questo concorso è riservato alle signore.

i polpettoni così buoni che solo lei li sa fare o addirittura continui ad andare a mangiare a casa di papino e mammina che comunque continuano ad elargirgli i loro consigli e le loro direttive (nonché i loro rifornimenti finanziari).

In questo modo i «figl'e mammà» continuano a fare i bambini fino a trenta e passa anni, cioè fino al momento in cui i genitori li passano ad altre mamme o ad altri papà (mogli e mariti) che continuano a mantenerli in una condizione psicologica di protezione e dipendenza e quindi di insicurezza e di irresponsabilità.

Cioè bambini.

E così, ancora una volta il processo di strutturazione della personalità adulta si inceppa e non si realizza.

Vi chiederete: ma allora cosa dobbiamo fare?

Be', è semplice: quello che hanno sempre fatto e che continuano a fare tutti i genitori sufficientemente poveri per avere dei motivi convincenti o sufficientemente intelligenti e coraggiosi per capire che è la cosa più giusta da fare: allontanare da sé i figli all'età di diciotto o vent'anni e mandarli a *lavorare*, permettendogli così di imparare a vivere e mantenersi da soli, come tutti gli adulti di questo mondo e dell'altro (animale).

E non trovate la scusa che non si trova lavoro e che c'è disoccupazione.

In tutta Europa manca manovalanza, manodopera operaia e manodopera specializzata e le industrie chiedono a gran voce di aumentare le quote degli immigrati extracomunitari per sopperire alle loro necessità. Sono richieste, con messaggi anche televisivi, le seguenti professionalità: idraulici, falegnami, carpentieri, fabbri, meccanici, elettricisti, elettrotecnici, saldatori, muratori, programmatori ecc.

ecc., nonché, sempre e ovunque, manovalanza non specializzata.

Perché gli italiani, gli operai e neppure i tecnici, non lo vogliono più fare.

Non parliamo dei manovali.

Vogliono fare soltanto i dottori e i dirigenti.

Io non dico di condannare il proprio figlio, che è la pupilla dei nostri occhi, a fare l'operaio per tutta la vita, ma cominciare facendo l'operaio per poi diventare tecnico specializzato e in seguito magari ingegnere, facendosi così da sé, perché no?

Lo hanno fatto generazioni di italiani fino al boom economico e continuano a farlo gli altri europei nonché gli americani, che sono più ricchi di noi.[8]

È penoso vedere i nostri figli non essere capaci neppure di affrontare un iter burocratico, mentre i figli dei vucumprà se li comprano e se li vendono (i nostri figli, non gli iter burocratici) con un pacchetto di fazzoletti per soffiarsi il naso.

I figli dei vucumprà, come i figli degli zingari balcani, diventano adulti a dodici anni, e persino prima, semplicemente perché a dodici anni, e persino prima, vengono messi sulla strada e devono imparare senza nessuno aiuto a sopravvivere.

Lo *stato di adulto*, ossia la condizione esistenziale in cui *da soli* bisogna imparare a sopravvivere, è dunque la *con-*

---

[8] Nei paesi anglosassoni c'è la tradizione di mandare i figli fuori di casa e a lavorare all'età di sedici, diciotto anni, anche nei ceti abbienti. Queste sono tradizioni del capitalismo maturo. Evidentemente in Italia il capitalismo recente non ha avuto nemmeno il tempo di farsele, le sue tradizioni. Tanto meno di maturare.

dizione essenziale della strutturazione della personalità adulta, della trasformazione del bambino in adulto.

Quel 'bisogna imparare' ci fa vedere un'altra caratteristica, del processo di strutturazione della personalità adulta: la sua *necessità* in funzione della sopravvivenza, in quanto risposta alle difficoltà ambientali.

Vediamo cioè che i processi in cui si articola la strutturazione della personalità adulta, l'assunzione di un modello, la memorizzazione di una sua immagine, l'imitazione del modello, la radicalizzazione del modello, l'identificazione con il modello, sono, diversamente da quanto accade per la strutturazione della personalità genitoriale, processi necessari, cioè *automatici*, che il bambino attua come risposta alle difficoltà ambientali, ossia come adattamento all'ambiente, in funzione della sua *sopravvivenza*.

Posto a confronto con le difficoltà ambientali, quindi, il bambino struttura la propria personalità adulta, si trasforma in adulto, in modo spontaneo e naturale.

E soltanto se posto in questa condizione, egli può farlo.

Se protetto e tenuto lontano dalle difficoltà, il processo di strutturazione della personalità adulta non può avvenire compiutamente, in quanto non può realizzarsi il suo ultimo processo conclusivo: l'identificazione con la personalità adulta.

I genitori che credono che il loro compito di genitori sia risolvere sistematicamente tutti i problemi dei loro figli, non solo non hanno capito un turacciolo del loro compito di genitori, ma così facendo uccidono i loro figli in quanto gli impediscono di crescere e diventare adulti, condannandoli a rimanere bambini, e quindi infelici e portatori di patologie, per tutta la vita.

Ve li immaginate dei gatti che venissero tenuti dalla mamma gatta attaccati alle sue mammelle tutta la vita e che non fossero messi in grado di cacciare e quindi di sopravvivere?

Non si è mai vista una simile aberrazione in tutta la storia gattesca.

Soltanto noi umani, siamo capaci di tanto.

E il bello è che così facendo ci sentiamo anche bravi e veniamo elogiati pubblicamente!

Per via terapeutica si possono anche realizzare tutti i processi precedenti, l'assunzione di un modello, la memorizzazione di una sua immagine, l'imitazione del modello, la radicalizzazione del modello; ma il processo conclusivo dell'identificazione con la personalità adulta, ossia della trasformazione effettiva del bambino in adulto, non può avvenire, se manca la condizione essenziale: lo stato esistenziale di adulto.

Il bambino rimane bambino, anche se ha dieci centimetri di pelo sotto le ascelle.

Sfatiamo piuttosto una leggenda metropolitana.

E cioè che la mancata crescita, la mancata trasformazione in adulto, sia un fenomeno che colpisca più gli uomini che le donne.

Questa leggenda è stata messa in giro dalle donne, naturalmente.

Ma è un'opinione errata, derivata dal fatto che le donne attuano spontaneamente la loro personalità materna, in presenza di un marito-bambino, più di quanto gli uomini attuino la loro personalità paterna in presenza di una moglie-bambina.

E quindi si convincono di essere psicologicamente più evolute dei maschi.

Ma statisticamente non è vero, come ognuno può constatare.

Per il semplice fatto che le donne sono più numerose degli uomini.[9]

Tutte le donne che pretendono le attenzioni, le cure, la protezione, l'amore esclusivo e totale del loro uomo, che pretendono di essere al centro della sua vita – e sono la quasi totalità – sono, per tutto quello che abbiamo visto finora, inequivocabilmente, incontrovertibilmente, inevitabilmente delle *bambine*, mascherate magari da mamme, ma pur sempre delle bambine.

E non sono meno dei maschi.

Dato che si tratta di coppie, infatti, quanto meno sono alla pari.

---

[9] Questo fatto lo si può constatare semplicemente andando al cinema, in discoteca o in libreria. Dovrebbe consolare i signori uomini che hanno fra i piedi un ravatto di donna: ce ne sono altri tre miliardi in circolazione fra cui scegliere. Ma tant'è, chissà perché, loro si attaccano al ravatto e non lo mollano anche se gli fa la pasta scotta e gli fruga nelle tasche. Lo stesso discorso bisogna però farlo, per *par condicio*, anche alle signore donne. Non si disperino le signore che si credono racchie e incapaci di suscitare desiderio sessuale persino in un mandrillo in crisi di astinenza: per racchia che sia una donna c'è sempre in qualche parte del mondo un uomo così affamato da trovarla appetibile. Il problema è trovarlo.

La non strutturazione della personalità genitoriale

Come per la personalità adulta, la non attuazione di uno qualsiasi dei processi di assunzione, memorizzazione, imitazione, radicalizzazione e identificazione con il modello comportamentale genitoriale arresta il processo generale e non porta a compimento la strutturazione della personalità del genitore.

Nel caso della personalità genitoriale, nella moderna società industriale produttivistico-consumistica il processo si arresta normalmente al primo passo, quello dell'*assunzione* di un modello.[1]

L'assunzione da parte dell'adulto di un modello genitoriale è condizionata infatti dalla presenza di questo modello nell'ambiente sociale e culturale in cui egli vive.

Nelle società rurali e tribali il modello genitoriale è fornito dall'individuo *anziano* organicamente presente nel gruppo familiare, il quale assume sistematicamente la funzione

---

[1] Non si illuda il lettore malizioso di cogliere in questo mio saggio una critica politica. Questo saggio non tratta di capitalismo o comunismo. Contro ogni apparenza esso è un saggio scientifico di *psicologia* e si interessa unicamente del benessere individuale. Vero è tuttavia che come psicologo non posso non cogliere la ricaduta sul benessere individuale di un capitalismo di tipo produttivistico-consumistico.

di modello di riferimento di esperienza, conoscenza, saggezza e umanità.

Ma nella società produttivistico-consumistica l'eliminazione dell'anziano dal gruppo familiare ha privato le nuove generazioni di un modello genitoriale realmente presente nell'ambiente immediato.

Esse sono costrette quindi a cercarlo negli ambienti mediati della *realtà virtuale* (letteratura, cinema, televisione, spettacolo ecc.)

Ma la realtà virtuale oggi disponibile raramente propone il modello genitoriale come target psicologico ed esistenziale collettivo e tanto meno propone l'anziano come impersonificazione di quel modello.

L'anziano, nella società produttivistico-consumistica, è assunto piuttosto come un consumatore di adesivi per dentiera e pannoloni per incontinenti, che come modello da imitare.

Il modello genitoriale, che nelle società rurali e tribali era assunto come target evolutivo da popolazioni di adulti, nella società produttivistico-consumistica, costituita per gran parte da popolazioni di bambini-consumatori, è stato sostituito dal modello di *adulto*, sia pure sempre considerato nella sua funzione di *consumatore*.

L'individuo adulto non ha quindi nella società produttivistico-consumistica accesso spontaneo e immediato al modello genitoriale.

Egli lo deve cercare all'interno della realtà virtuale.

Ma quest'impresa presenta due difficoltà.

Da una parte la sempre minore presenza di modelli genitoriali nella stessa realtà virtuale.

Dall'altra la necessità di operare un *atto di volontà* per attivare la ricerca e portare a termine l'impresa.

Occorre infatti che l'adulto si proponga *intenzional-*

mente di sviluppare la propria personalità genitoriale e vada a cercarsi i modelli capaci di concretizzarla in caratteristiche specifiche.

Ma quell'atto di volontà viene normalmente impedito
da due fattori.

Il primo è costituito dalla proposta sistematica del modello di adulto, come target di realizzazione sociale, da
parte di tutti i mass media.

Il secondo è costituito dalla presentazione dell'anziano,
al quale va naturalmente riferito il modello genitoriale, come modello degenerativo e quindi negativo e non come
modello evolutivo e quindi positivo.

E questo è tanto più assurdo, in quanto avviene in una
società che ha protratto enormemente l'esistenza dell'anziano e lo ha portato a performance quasi giovanili.

Il perseguimento di un modello genitoriale ha quindi
poche chances di realizzazione, nella società produttivistico-consumistica, la quale essendo fondata sulla produttivi-
tà e sulla capacità di consumo – e quindi sulla competizione, la prevaricazione e la ricchezza – è poco interessata
alla protezione e all'amore universale.

Ciò non impedisce tuttavia che molti si ritengano genitori.

Sia pure semplicemente perché hanno fatto figli.

Anzi ormai, nella società produttivistico-consumistica,
la personalità del genitore è relegata al solo ruolo del *genitore biologico*.

Il che, dal punto di vista *evolutivo*, fa regredire l'umanità al rango animale.

Noi ormai, esattamente come gli animali, facciamo i genitori semplicemente perché e finché abbiamo dei figli.

La cosa tragica è che non è nemmeno così.

È molto peggio.

La verità è che la quasi totalità dei genitori non sono nemmeno capaci di assolvere il loro ruolo di genitori biologici.

È evidente infatti che il ruolo di genitore biologico richiede pur sempre la presenza, sia pure temporanea, della personalità genitoriale.

Banalmente, infatti, non si può fare i genitori se non si ha una personalità genitoriale.

non si può fare il genitore
se non si ha una personalità genitoriale

Sembra ovvio, ma pochissimi genitori hanno una personalità genitoriale.

Perché non hanno nemmeno una personalità adulta, a disposizione.

E come abbiamo visto, non si può fare il genitore se prima non si è imparato a fare l'adulto.

L'assunzione del *ruolo* di genitore da parte di una persona incapace di protezione in quanto incapace di autosufficienza e di controllo dell'ambiente, perché ancora sostanzialmente identificato con la personalità infantile e quindi preoccupato della propria sopravvivenza e della propria affermazione, è un *bluff*: la sua personalità genitoriale è *fittizia*.

È il caso, ormai frequentissimo, di bambini che giocano a fare i genitori.

E tragicamente, questi "bambini" sono biologicamente genitori davvero.

Essi in realtà usano i propri figli come fornitori affettivi, cioè come *genitori*.

Infatti non li mollano mai.

Si inventano mille scuse per tenerli attaccati a sé.

Ti sei mai chiesto perché gli italiani sono così imbecilli

da non avere realizzato che in Italia non c'è bisogno di laureati ma di manovali, di operai generici, di operai specializzati e di tecnici?

E quindi perché continuano a mandare i loro figli all'università facendone dei disoccupati a vita?

Perché *vogliono* tenerseli in casa fino a trenta, quaranta e persino cinquant'anni.

Cioè fino alla loro morte (dei genitori, non dei figli).

E se per disgrazia (sia dei genitori sia dei figli) si sposano, gli comprano l'appartamento vicino al loro così continuano a tenerseli attaccati alla gonnella.[2]

Ma il genitore che si tiene il proprio figlio e non lo molla non lo fa per la felicità del figlio, bensì per la propria.

I veri genitori non si tengono i figli.

Li mollano appena possibile.

Perché il compito di un genitore è quello di rendere i figli autonomi il più presto possibile e lasciarli andare a vivere la loro vita.

Come fanno tutti gli animali.

il compito del genitore non è quello di
proteggere e tenere vicino a sé
il più a lungo possibile i propri figli
ma quello di portarli il più presto possibile
ad essere autonomi e capaci di affrontare da soli
le difficoltà della vita
cioè
LASCIARLI ANDARE

---

[2] Cito la gonnella non perché ci siano molti scozzesi in Italia, ma perché il fenomeno interessa particolarmente le signore mamme (la mamma italiana è famosa, per questo).

Il compito di un genitore è insegnare ai propri figli a vivere e poi perderli.

A qualunque costo.

Per la loro felicità (e per il vero genitore la propria felicità è la felicità dei figli).

Perché la felicità dell'essere umano non sta nel farsi mantenere e farsi risolvere i problemi dagli altri.

Questo porta alla *depressione* perché l'Io crea un'immagine debole di sé.

La felicità sta nell'essere indipendente e nel risolvere i propri problemi da solo.

È questo, che crea un'*autoimmagine* forte e quindi porta l'Io in esaltazione.[3]

Quindi il genitore deve mandare *al più presto* il proprio figlio *a lavorare*.

E ciò va fatto a tutti i costi, perché è mille volte meglio, per la sua felicità, che faccia l'idraulico o la parrucchiera (mestieri per altro dignitosissimi e remunerativi) e diventi un'adulto, che non prenda una laurea in ingegneria o in medicina e rimanga un bambino per tutta la vita.[4]

---

[3] Il nostro benessere dipende dalla condizione di esaltazione del nostro Io, cioè dalla nostra *autoimmagine*: cfr. il mio libro *Come smettere di farsi le seghe mentali e godersi la vita*, op. cit., pagg. 55-56.

[4] Il genitore che fa questa cattiveria al proprio figlio andrebbe castrato e poi bollito (il contrario dà meno soddisfazione) in una soluzione di acido solforico, notoriamente puzzolente. Questa non vuole essere un'incitazione al matricidio o al patricidio: questo esaltante compito dovrebbe essere lasciato allo Stato, che è anche più organizzato e soprattutto vantaggiosamente dotato di immunità. Aggiungo, prima di essere citato in giudizio dall'Ordine degli Ingegneri e da quello dei Medici, che non intendo dire che gli ingegneri e i medici sono dei bambini: lo sono soltanto quelli che si fanno mantenere dai genitori fino alla laurea e magari anche dopo (disoccupati o no).

Il genitore deve creare *apposta* delle *difficoltà* al proprio figlio, per insegnargli a superarle da solo.

Come abbiamo visto, lo fanno anche i gatti, o meglio le gatte, che portano i topolini ai propri cuccioli affinché imparino a cacciarli.

i genitori devono creare apposta
delle difficoltà ai propri figli
affinché imparino ad affrontarle

I bambini che rimangono fino ad età avanzata (cioè dopo la pubertà) con i genitori, non solo non diventano genitori, ma non diventano nemmeno adulti.

Questo ci introduce alla *patologia* dell'evoluzione psicologica naturale.

Chiariamoci subito che chi non percorre per intero l'evoluzione psicologica naturale costituisce un *caso patologico*.

Egli ha diritto a tutto il nostro rispetto e a tutto il nostro amore, ma non si illuda di essere una persona psicologicamente sana.

Avrà molte più difficoltà di una persona psicologicamente evoluta, ad essere felice, ed ha invece molte probabilità di non riuscirci affatto.

In più ha molte probabilità di rendere infelici gli altri.

Semplicemente perché è affetto da una *nevrosi*, tendenzialmente cronica ed autoaccrescente.

Di questa nevrosi, parleremo diffusamente nel prossimo capitolo.

La nevrosi

Abbiamo visto come in natura sia un requisito fondamentale l'*intercambiabilità* dei modelli comportamentali, ossia la capacità di passare da una personalità all'altra a seconda della situazione ambientale.

Come per gli animali, la capacità di attivare la personalità adatta alle circostanze è decisiva, ai fini dell'integrità e dell'equilibrio psichici dell'individuo umano, e quindi della sua felicità.

Essa costituisce precisamente la sua *risposta adattiva* all'ambiente.

Se un individuo umano adulto normalmente evoluto si trova con altri individui umani, o persino animali, che assumono un comportamento di cuccioli o *bambini*, in una situazione ambientale priva di pericolo ma anzi rilassata e confidenziale, egli istituisce facilmente con essi un rapporto di *gioco*, assumendo spontaneamente la personalità *infantile*.

Se una situazione ambientale si presenta difficile, pericolosa o rischiosa o richiede comunque un impegno per essere affrontata, l'individuo umano evoluto assume spontaneamente la personalità *adulta*.

Se è posto di fronte ad un altro essere umano o persino ad un qualsiasi essere vivente sofferente e bisognoso di aiuto, l'individuo umano psicologicamente sano ed evoluto assume spontaneamente la personalità *genitoriale*.

Tutto questo avviene però a *due condizioni*, che corrispondono ai due DATI NATURALI FONDAMENTALI già rilevati precedentemente a proposito degli animali:

CONDIZIONI DELLO STATO PSICOLOGICO NORMALE

1. **strutturazione delle tre personalità naturali**

2. **capacità di passare da una personalità all'altra a seconda della situazione ambientale**

Ove anche una sola delle due condizioni sopra riportate manchi, siamo in presenza di una *patologia*: più precisamente di una patologia psichica, cioè di una *nevrosi*.

Infatti possiamo definire specificamente la

nevrosi

come

incapacità di attivare la personalità naturale adatta alla situazione ambientale [1]

---

[1] La definizione corrente di nevrosi, di origine freudiana, è *perdita del contatto con la realtà*. Il nevrotico è cioè colui che vive nel mondo irreale della sua immaginazione e non nel mondo della realtà. Ma l'incapacità di attivare la personalità naturale adatta alla situazione ambientale è appunto *un'incapacità di adattamento alla realtà* e quindi una *perdita di contatto con la stessa*.

Abbiamo quindi casi in cui uno non è in grado di fare il bambino o l'adulto o il genitore quando occorre e casi in cui egli fa sempre e soltanto il bambino o l'adulto o il genitore in qualsiasi situazione.

Vi sono infatti due tipologie fondamentali, di nevrosi:

1. **l'incapacità di attivazione di una specifica personalità**
2. **la coazione ad attivare sempre una specifica personalità**

Per la prima tipologia abbiamo due cause distinte:

1. **la mancata strutturazione di una specifica personalità**
2. **l'incapacità di attivazione di una specifica personalità sia pure strutturata**

Anche della seconda tipologia, abbiamo due cause distinte:

1. **la mancata strutturazione delle altre personalità**
2. **l'automatizzazione dell'attivazione di una specifica personalità a seguito della ripetizione di circostanze ambientali specifiche**

Esaminiamo dettagliatamente le due tipologie fondamentali di nevrosi e le loro cause.

La nevrosi da incapacità di attivazione di una specifica personalità

Prima causa: la mancata strutturazione di una specifica personalità

Che la mancata strutturazione di una specifica personalità possa essere la causa dell'incapacità di attivazione di quella personalità, è evidente.

Se di una specifica personalità noi non facciamo un'*esperienza concreta*, se non ci *identifichiamo* con essa e *non la viviamo a lungo*, se nella nostra memoria essa non passa dallo stato di modello generalizzato allo stato di *modello particolareggiato e completo*, se essa non si registra nella nostra memoria con tutta la sua forza e completezza e con tutta la casistica ad essa pertinente, con emotività e passione, allora quella personalità *non si struttura* nella nostra memoria.

In altri termini, se noi non facciamo l'esperienza della *sottomissione* agli altri, noi non strutturiamo nella nostra memoria una personalità infantile; se noi non facciamo l'esperienza dell'*autosufficienza*, noi non strutturiamo nella nostra memoria una personalità adulta; se noi non facciamo l'esperienza della *dedizione* agli altri, noi non strutturiamo nella nostra memoria una personalità genitoriale.

Cioè non impariamo a *vivere* il bambino, l'adulto e il genitore che sono dentro di noi, ma ci limitiamo soltanto a *pensarli*.

Seconda causa: l'incapacità di attivazione di una specifica personalità sia pure strutturata

L'esperienza e quindi la strutturazione mnemonica delle personalità naturali è una condizione necessaria ma non sufficiente, alla loro attivazione.

Occorre che oltre ad avere imparato a vivere il bambino, l'adulto e il genitore noi siamo in grado di *continuare a viverli* a seconda delle circostanze.

Occorre che tali personalità vengano *esercitate* con una certa continuità e per un periodo prolungato, perché noi le abbiamo a nostra disposizione sempre.

Occorre cioè che esse vengano *usate* abitualmente, affinché entrino a fare parte del bagaglio effettivo delle personalità di cui disponiamo e che siamo in grado di attivare al momento opportuno.

La mancanza di abitudine all'attivazione di una specifica personalità per un periodo protratto porta inevitabilmente alla *destrutturazione* della stessa personalità e quindi alla *regressione* alle personalità precedenti.

Ciò avviene normalmente e sistematicamente in caso di perdita, di insuccesso, di trauma.

Questi casi, sia pure temporanei, e il caso di destrutturazione da regressione di una personalità equivalgono nei fatti all'incapacità di attivazione di una specifica personalità, sia pure strutturata nel passato.

Vivere come bambino quando si è realmente bambini, non è difficile.

Difficile è invece vivere come bambino anche quando si è adulti.

Giovanni Pascoli aveva stigmatizzato questa situazione parlando del "fanciullino" presente in ognuno di noi e della necessità di lasciarlo uscire.[2]

Quanti di noi sanno lasciarsi andare e fare i bambini quando la situazione lo richiede, non soltanto in presenza di bambini, ma anche in presenza di adulti?

Farsi bambini significa non soltanto essere capaci di giocare, ma anche essere capaci di sottomettersi, di ammettere di avere sbagliato, di chiedere scusa, di chiedere perdono, di chiedere aiuto, di ascoltare gli altri, insomma di farsi *umili*.

Se non sei capace di essere bambino quando è il mo-

[2] Cfr. G. Pascoli, *Pensieri e discorsi*, Bologna 1907.

mento (e nella nostra società consumistica ricca e protetta e tendente all'evasione (gioco), ma anche direttiva e gerarchizzata (sottomissione), è spesso, il momento), allora soffri di una *nevrosi* da *incapacità di attivazione della personalità infantile.*

A cosa serve, d'altra parte, avere imparato ad essere adulto quando al momento del pericolo e dell'emergenza (come in un incidente o in un conflitto), quando è necessario assumere la personalità adulta (si dice correntemente « assumersi le proprie responsabilità » o « avere il coraggio di affrontare le difficoltà »), ti ritrai nella tua personalità infantile e fuggi impaurito?

Se non sei capace di essere adulto quando è il momento (e nei gruppi competitivi e conflittuali della nostra società produttivistica, è frequente, il momento), allora soffri di una *nevrosi* da *incapacità di attivazione della personalità adulta.*

E a cosa serve infine avere imparato ad essere genitore quando al momento della richiesta d'aiuto di un altro essere umano o di un qualsiasi essere vivente, quando è necessario assumere la personalità genitoriale e darsi all'altro e proteggerlo e confortarlo, assumi proterviamente la tua personalità adulta e lo liquidi con uno « smettila di fare il bambino »?

Se non sei capace di essere genitore quando è il momento (e nella nostra società efficientistica, dove i deboli, gli handicappati, gli emarginati, gli anziani sono trattati come bambini, non è raro, il momento), allora soffri di una *nevrosi* da *incapacità di attivazione della personalità genitoriale.*

La nevrosi da coazione all'attivazione di una specifica personalità

Prima causa: la mancata strutturazione delle altre personalità

Questa causa riguarda soltanto le personalità superiori a quella coatta, perché abbiamo visto che la strutturazione di una personalità naturale presuppone necessariamente la strutturazione della personalità ad essa precedente nella scala dell'evoluzione psicologica naturale.

Quindi presenta soltanto due casi: il bambino e l'adulto.

Se uno è coatto ad attivare soltanto la personalità infantile, può essere perché non ha strutturato la personalità adulta, e tanto meno quella genitoriale, e quindi non può attivare nessuna di queste due personalità.

Se uno è coatto ad attivare soltanto la personalità adulta, può essere perché non ha strutturato la personalità genitoriale, e quindi non può attivare questa personalità.

Quest'ultimo caso, come il caso della coazione ad attivare soltanto la personalità genitoriale, richiede una spiegazione ulteriore.

Perché questo soggetto non attiva le personalità precedenti nella scala dell'evoluzione psicologica naturale?

Cioè perché il nevrotico coatto ad attivare sempre e soltanto la personalità adulta non attiva, visto che l'ha strutturata, la personalità infantile?

E perché il nevrotico coatto ad attivare sempre e soltanto la personalità genitoriale non attiva, visto che le ha strutturate, la personalità infantile e la personalità adulta?

La risposta a queste domande ci rinvia alla seconda causa della nevrosi da coazione all'attivazione di una specifica personalità.

Seconda causa: l'automatizzazione dell'attivazione di una specifica personalità a seguito della ripetizione di circostanze ambientali specifiche

Vi sono casi in cui l'imposizione da parte dell'ambiente dell'attivazione sistematica di una specifica personalità cronicizza questa attivazione al punto da renderla automatica anche nel caso di mutazione della situazione ambientale, al punto cioè da renderla *coatta* indipendentemente dalla situazione.

L'identificazione del soggetto con la personalità coatta per ripetizione ed automatismo indotto diviene in tal caso cronica e il soggetto non riesce più ad uscirne, anche quando le condizioni ambientali non sono più consone a quella personalità.

Prendiamo un caso tipico: una persona, più spesso uomo, che ha superato la sua personalità infantile ed ha strutturato la sua personalità adulta, ma che da molto tempo vive solo e non ha più fatto esperienza di vita in famiglia in cui vi è la presenza di bambini.

Egli non ha più avuto da molto tempo l'occasione di vivere la propria *personalità infantile*.

Ha perduto l'abitudine e la capacità di giocare e di farsi umile.

È sempre competitivo e incapace di comunicare, di darsi.

Ma ha perduto, o non ha mai sviluppato, anche la propria personalità *genitoriale*.

È incapace di assistere, di aiutare, di proteggere.

Egli si identifica totalmente ed esclusivamente con la propria personalità adulta e non è più capace di uscirne, né regredendo nella personalità infantile né progredendo nella personalità genitoriale.

Si crederà un adulto perfettamente sano ed evoluto.

E invece è un nevrotico incapace di essere bambino (cioè di chiedere) e genitore (cioè di dare) al momento opportuno.

Vi è un altro caso tipico: una persona, più spesso donna, che ha strutturato tutte e tre le sue personalità naturali ma che le vicissitudini della vita hanno costretto a fare sempre da mamma a qualcuno (è tipico il caso della ragazza obbligata a fare la mamma prima ai fratelli e poi ai figli se non addirittura anche al marito): tenderà ad identificarsi totalmente ed esclusivamente con la propria personalità genitoriale, al di fuori della quale ormai non trova più collocazione per il proprio Io.

Si crederà un genitore perfettamente sano ed evoluto.

E invece è un nevrotico incapace di essere bambino (cioè di chiedere) e adulto (cioè di prendere) al momento opportuno.

La ricorrenza sistematica di circostanze ambientali particolari è dunque una causa specifica della nevrosi da coazione all'attivazione della personalità adulta e della nevrosi da coazione all'attivazione della personalità genitoriale.

La nevrosi da coazione all'attivazione di una specifica personalità naturale è il tipo di nevrosi più diffuso ed è quindi quello che prenderemo in considerazione nel seguito.

Esso si divide ovviamente in tre casi, visto che abbiamo tre personalità naturali.

Il caso in cui il soggetto sia coatto ad attivare esclusivamente la personalità infantile possiamo definirlo «nevrosi da coazione all'attivazione della personalità infantile» o più brevemente *nevrosi infantile.*

Possiamo dire che in questo caso c'è un'identificazione bloccata e coatta del soggetto con la sua personalità infantile.

Il caso in cui il soggetto sia coatto ad attivare esclusiva-mente la personalità adulta possiamo definirlo «nevrosi da coazione all'attivazione della personalità adulta» o più brevemente *nevrosi adulta.*

Possiamo dire che in questo caso c'è un'identificazione bloccata e coatta del soggetto con la sua personalità adulta.

Il caso in cui il soggetto sia coatto ad attivare esclusiva-mente la personalità genitoriale possiamo definirlo «nevro-si da coazione all'attivazione della personalità genitoriale» o più brevemente *nevrosi genitoriale.*

Possiamo dire che in questo caso c'è un'identificazione bloccata e coatta del soggetto con la sua personalità geni-toriale.

Esaminiamo più da vicino la nevrosi da coazione all'attiva-zione di una specifica personalità naturale nei suoi tre ca-si, ai quali verranno dedicati i prossimi capitoli, affinché chi vi fosse imprigionato possa prendere coscienza della propria patologia.

Anche se ovviamente non la ammetterà mai.

Il nevrotico "bambino"[1]

Tutte le caratteristiche negative della personalità infantile si ritrovano potenziate ed accentuate nel nevrotico "bambino": l'incapacità di dominare l'ambiente, l'incapacità di sopportare le frustrazioni, l'insicurezza, la dipendenza, la pretesa di dedizione da parte degli altri, la paura, l'incapacità di accettare la realtà.

Esse, vissute per anni, si radicano nella personalità nevrotica ed acquistano una forza che non soltanto diviene ineluttabile ma elude la stessa consapevolezza del soggetto, che finisce per ritenere naturali e del tutto legittime la sua debolezza, la sua dipendenza, le sue pretese, le sue paure, la sua inadattabilità.

Esamineremo in questo capitolo una per una queste caratteristiche nella loro particolare modalità nevrotica, che nell'adulto "bambino" acquistano una specifica conformazione.

La caratteristica specifica saliente della personalità infantile, la *dipendenza dagli altri*, o comunque da *qualco-*

---

[1] Questo è il capitolo più importante del saggio (ed anche, per questo, il più lungo), perché la nevrosi infantile è in assoluto la più diffusa.

s'altro fuori di sé (in psicologia si chiama *eterodipendenza*), non soltanto per la propria sopravvivenza ma addirittura per la propria felicità, fa sì che il soggetto sofferente di nevrosi infantile, ossia da personalità infantile coatta, che non ha quindi a disposizione né una personalità adulta né una personalità genitoriale, sia continuamente alla ricerca dell'attenzione, dell'aiuto, della protezione, dell'affetto, della dedizione, dell'amore degli altri.

Appunto come un bambino.

Ma con l'aggravante che non lo è.

È per questo, che definisco nevrotico l'adulto che si comporta come un bambino: perché non ha contatto con la sua realtà, che è quella di essere un adulto.

Egli, come un pazzo conclamato che si crede Napoleone, si crede nel profondo del suo inconscio ciò che in realtà non è, cioè un bambino.

Non è un pazzo, cioè uno psicotico, ma un *nevrotico*, perché la sua patologia è reversibile: può guarire (se curato).

È l'amico che si lamenta continuamente che tu non gli telefoni mai, che non lo inviti mai, che non gli chiedi mai come sta, che non ti interessi mai ai suoi problemi, che non lo aiuti mai, che quando lui ha bisogno tu non ci sei mai.

È il marito che pretende la totale, assoluta, esclusiva dedizione e fedeltà della moglie, che la rimprovera di non fargli trovare sempre tutto pronto e perfetto, di non cucinare come sua madre (della quale lei è, nella mente malata di lui, una continuazione), di uscire sempre con le sue amiche, di avere altri interessi, addirittura di frequentare altre persone a sua insaputa, soprattutto uomini.

È la moglie che rinfaccia sempre al marito di non essere "presente", di lavorare troppo, di non stare abbastanza con lei o con i figli (che sono una sua proiezione), di non dedicare a lei tutta la sua attenzione e tutta la sua vita.

Delle vere piaghe.

Questi disgraziati non si accontentano di essere amati, che è già una pretesa, ma pretendono addirittura di essere amati *sempre* e *in esclusiva.*

la pretesa di essere amato sempre e in esclusiva
è la caratteristica saliente del nevrotico "bambino"

Lui (o, più spesso, lei) ti vuole a sua totale ed esclusiva disposizione ventiquattr'ore su ventiquattro, trecentosessanticinque giorni all'anno per tutta la vita.

Tu devi essere a sua disposizione *esclusiva.*

Gli altri, niente, che crepino!

Lui, lui, lui, lui, lui, lui, lui, lui, lui, lui, lui, lui, lui, lui, lui, lui, lui soltanto!

Lei, lei, lei, lei, lei, lei, lei, lei, lei, lei, lei, lei, lei, lei, lei, lei, lei, lei soltanto!

Ti vieta di amare altri oltre lui (o lei), ti proibisce tassativamente di nutrire, se mai tu ne fossi capace, un *amore universale.*

Esattamente come i bambini veri, che guai se la loro mamma guarda, fa un complimento o fa giocare, un altro bambino.

Diventano matti.

Ma perché?

Perché per la loro sopravvivenza, alla quale non sanno provvedere da soli, è necessario che la loro mamma (o chi per lei) li accudisca ventiquattr'ore (e non ventitré o ventidue) su ventiquattro e che non si distragga con altri interessi od altri compiti, qualunque essi siano.

Codesti accattoni di affetto e di amore, come veri bambini, si attaccano al primo che gli dimostra un minimo di

attenzione e disponibilità, se non addirittura pericolosissi-
mamente di affetto, e lo eleggono arbitrariamente e unilateralmente loro papà o loro mamma, senza che l'altro gli
abbia rilasciato alcuna autorizzazione allo sfruttamento o
al possesso affettivo.

"Innamoramento" è il nome che loro danno normalmente a codesta condizione patologica.[2]

Ma chiariamoci subito: "essere innamorati" non è *amare*.

"Essere innamorati" è *avere bisogno di essere amati*.

L'esatto opposto di amare.

essere innamorati non è amare: è bisogno di essere amati

All'innamorato, infatti, non importa un accidente se l'oggetto del suo "amore" ha da fare, è impegnato in qualcosa, ha una carriera da perseguire, un compito da assolvere, una missione da compiere, uno svago da godere, o altro: all'innamorato interessa soltanto che lui gli stia accanto e soddisfi il suo bisogno compulsivo, ineludibile, inesauribile e insoddisfacibile di attenzione e di coccole.

Della serie: «Mi ami? E quanto mi ami?», «Mi pensi?
E quanto mi pensi?», «Mi desideri? E quanto mi desideri?», «Mi proteggi? E quanto mi proteggi?». «Mi telefoni? E quanto mi telefoni?»

E guai se non lo fa.

L'innamorato *pretende* la presenza, l'attenzione e la dedizione della persona che dice di amare ma dalla quale in
realtà egli vuole essere amato.

---

[2] Cfr. F. Alberoni, *Innamoramento e amore*, Garzanti, 1979, che ha
centrato esattamente il problema.

Ma il pretendere di essere amato è un *comportamento infantile*.

È il bambino, il bambino vero, quello di due o tre anni, che può avanzare legittimamente la pretesa di essere amato e quindi di essere protetto e assistito perché da solo non è in grado di sopravvivere.

Naturalmente occorre che vi sia una madre che accolga questa sua pretesa e la soddisfi, altrimenti anche la pretesa legittima del bambino vero rimane inesaudita.

E quanti bambini veri vengono di fatto abbandonati dalla propria madre!

Ma un "bambino", o una "bambina", di venti, trenta, quaranta o cinquant'anni non ha il diritto di avere la stessa pretesa, perché non è un vero bambino né una vera bambina.

È una persona capacissima di sopravvivere da sola.

Chiariamoci dunque questo concetto una volta per tutte: *la pretesa affettiva di un adulto è illegittima*.

Non è assolutamente vero, come si ostinano a dire gli adulti "bambini", che ognuno ha diritto di essere amato.

Balle!

Nessuno, ha diritto di essere amato.

Come nessuno ha il dovere di amare.

Infatti vi è una *legge psicologica* che chiameremo

LEGGE PSICOLOGICA NUMERO UNO

NESSUNO PUÒ PRETENDERE DI ESSERE AMATO

L'amore è una conquista, sia da parte di chi impara a farsi amare, sia da parte di chi impara ad amare.

Pretendere di essere amato è un *comportamento infantile*.

Stabiliamo quindi una

REGOLA

Ogni volta che vi è una pretesa affettiva
si è in presenza di un comportamento infantile.

Questa è una *regola psicologica*.

Questo comportamento infantile è fonte di eterna sofferenza, sia per il "bambino" che non può sempre essere soddisfatto nella sua pretesa, sia per il "genitore" che si sentirà spesso accusare di non soddisfare la sua pretesa.

Il sofferente di nevrosi infantile elegge di norma un individuo (non importa di che specie o addirittura di che genere) a proprio genitore e ne pretende l'affetto, l'attenzione e la dedizione *totali, esclusivi ed assoluti*.

Come il vero bambino, che per assicurarsi la sopravvivenza ha bisogno della presenza costante del genitore o di chi per esso e comunque sempre della stessa persona perché di quella egli conosce il comportamento e quindi solo con quella egli è in grado di gestire sicuramente il rapporto di sfruttamento, il sofferente di nevrosi infantile pretenderà l'attenzione e la presenza costante di colui che ha eletto a suo genitore e ne reclamerà il *possesso esclusivo e assoluto*.

il nevrotico "bambino" pretende
il POSSESSO della persona
che dice di amare ma che in realtà
ha eletto a suo "genitore"
e da cui quindi pretende l'amore totale ed esclusivo

E dice di amarlo!

Il malcapitato non potrà avere né desideri né bisogni né vita propria: dovrà essere all'esclusivo servizio dei bisogni e dei desideri del "bambino".

Esattamente come accade per i bambini veri.

Se il prescelto si ribellerà, o cercherà di affermare la *sua* personalità o i *suoi* bisogni, si troverà in faccia l'immancabile frase accusatrice: «Tu non sei come io ti credevo».[3]

Di solito, quello che l'altro credeva, è un ideale irrealizzabile.

---

[3] Questa famosa frase, che è stata ripetuta tante volte dal genere umano al punto che una stazione d'ascolto marziana ha concluso avere il significato di «Buon giorno. Come sta?», è un capolavoro di cattiveria e imbecillità. Infatti il suo significato pieno (qui la grammatica trasformazionale di Chomsky ci è di infinito aiuto) è il seguente: «Io mi sono costruito dentro il buco oscuro della mia mente malata una fantasia in cui tu eri un cavaliere senza macchia e senza paura, con un'armatura d'oro e un pennacchio rosso sulla testa, sempre pronto a soccorrere orfani e vedove, ad uccidere draghi, a infilzare mulini a vento, e, soprattutto, a difendere *me* da qualsiasi pericolo. Ma poi, in uno dei miei rarissimi momenti di presa di contatto con la realtà, ho scoperto che tu sei soltanto un miserabile ragioniere di Busto Arsizio con le emorroidi e il mutuo da pagare. Allora a questo punto mi imbufalisco e dico che è tutta colpa tua, che sei uno sporco traditore e un insopportabile mistificatore, a non essere un cavaliere senza macchia e senza paura, con un'armatura d'oro e un pennacchio rosso sulla testa, sempre pronto a soccorrere orfani e vedove, ad uccidere draghi, a infilzare mulini a vento, e, soprattutto, a difendere *me* da qualsiasi pericolo. Ma vattene al diavolo, miserabile ragioniere di Busto Arsizio con le emorroidi e il mutuo da pagare! Tu non sei l'uomo che io ho sposato, o meglio che volevo sposare». Ho volto tutto questo al femminile perché quella famosa frase «Tu non sei come io ti credevo» è pronunciata molto più spesso dalle donne, al punto che la stazione d'ascolto marziana ha precisato ultimamente che il suo pieno significato è «Buon giorno. Come sta, signore?»

A costruire nella nostra mente questi ideali irrealizzabili è stata la nostra stessa cultura.

Per l'uomo è il mito della donna dedita esclusivamente alla casa, ai figli e a lui stesso.

Un'altra mamma, ma più carina della prima, che lui si può anche trombare.[4]

A costruire questo ideale, oggi risolutamente rifiutato dalle signore che vogliono anche loro lavorare, hanno contribuito decine di favole dedicate alla famiglia, al cosiddetto "focolare", che hanno avuto origine appunto nella cultura contadina, anche se la cultura contadina in realtà alle signore ha sempre permesso di lavorare: nei campi.

Per la donna è il mito dell'uomo di successo, e quindi ovviamente ricco, pazzamente innamorato di lei e perciò naturalmente dedito esclusivamente a lei.

A costruire questo ideale, non tanto rifiutato dai signori che magari lo interpreterebbero volentieri ma proprio impossibile in sé, ha contribuito una favola che, come si dice, «ne ha ucciso più della spada»: Cenerentola.

La fiaba di Cenerentola ha infilato nel cervello di generazioni di ingenue fanciulle un ideale maschile davvero impossibile in quanto contraddittorio nei fatti.

Infatti non può esistere un uomo che sia ricco e di successo e che nel contempo dedichi la propria vita ad una donna.[5]

---

[4] Quello di trombarsi la madre è un vecchio sogno infantile maschile che è stato smascherato da Freud, il quale lo ha denominato «complesso di Edipo».

[5] A meno che sia un pensionato ricco e famoso. Ma anche in questo caso ci sono due ostacoli insormontabili. Il primo è che non si vede perché con tutte le belle ragazze che ci sono in giro vada a scegliere proprio te. («Perché io sono una strafiga!»: complesso di Cenerentola

Perché se un uomo deve dedicarsi a diventare ricco e di successo non può dedicarsi ad una donna e se si dedica ad una donna non può dedicarsi a diventare ricco e di successo.

È la vecchia storia della botte piena e della moglie ubriaca.

Ma tant'è, i signori uomini continuano con il mito della mamma giovane e carina e le signore donne continuano con il mito del principe azzurro.

Finché si accorgono, inesorabilmente, che lei non è una mamma (e magari nemmeno carina) e lui non è un principe (e tanto meno azzurro).

E allora pronunciano la famosa frase.

« Tu non sei come io ti credevo ».

Naturalmente attribuendo all'altro la colpa del fallimento del loro sogno.

A questo punto, la malcapitata o il malcapitato, preso atto della propria incapacità di essere all'altezza del sogno del "bambino" e sistematicamente incolpato da lui di questa sua incapacità, solitamente, come unica salvezza, si dà alla fuga.

Ma se abbandonerà il "bambino", questi lo ucciderà senza pietà.[6]

---

alla rovescia). Il secondo è che probabilmente tu lo vuoi anche giovane e bello. Ma il pensionato di cui sopra, per essere ricco e famoso, non può che essere almeno ottantenne. E se tu ti vuoi sposare un pensionato ottantenne ricco e famoso, non sei Cenerentola: sei un'avventuriera senza scrupoli.

[6] L'uccisione di genitori presunti (mariti, mogli, amanti, compagni, conviventi ecc.), da parte di "bambini" abbandonati o meglio "scaricati" è frequentissima e spiega, a ben guardare, una grande parte, se non addirittura la totalità, dei cosiddetti "delitti passionali". Codesta reazione

Un'alternativa all'uccisione del genitore che l'ha abbandonato è il suicidio (soluzione ecologicamente molto più corretta).

Se il genitore che l'ha lasciato non è più disponibile per farsi ammazzare, perché se ne è scappato in Cina e il "bambino" non ha di che pagarsi il biglietto per raggiungerlo, o addirittura perché se n'è già furbescamente morto per conto suo e il "bambino" si sente completamente e irrimediabilmente abbandonato e non trova un altro genitore da sfruttare e non ha né la capacità né la voglia di affrontare e vivere la propria solitudine, allora si suicida.[7]

violenta la si vede chiaramente, in scala ridotta, nel comportamento tipico dei bambini veri: se il genitore abbandona il bambino o rivolge la propria attenzione ad altro, egli lo aggredisce furibondo. Perché? Perché il bambino sa che, se abbandonato, la sua stessa sopravvivenza è posta in pericolo, in quanto egli è incapace di sopravvivere da solo, senza un genitore che lo accudisca. Gli adulti "bambini" invece, più efficienti e più organizzati sul piano pratico, uccidono. Perché avendo investito tutta la loro vita sull'altro, la "mamma", quando questa li abbandona loro sono incapaci di sopravvivere, la loro vita è finita, è come se la loro "mamma" li avesse uccisi, e quindi si vendicano. Tu mi hai ucciso? E allora io uccido te! Come si può notare, sono molto più frequenti (e purtroppo sempre più frequenti) i casi in cui l'uomo uccide la donna (sua ex moglie o compagna) con tutti i suoi bambini (che sono anche figli dell'assassino). Perché? Perché i figli sono, nella mente malata del "bambino" abbandonato, una proiezione della "mamma" che lo ha abbandonato (e spesso essi sono davvero una proiezione di lei nella mente della stessa "mamma"). Quindi uccidere lei con i figli, anche se sono i suoi stessi figli, equivale a uccidere lei completamente, a cancellarla definitivamente dall'esistenza, esistenza che per lui, senza la sua "mamma", non ha più senso, non è più possibile. Ed infatti, regolare come un orologio svizzero (di una volta), anche lui, il "bambino", si toglie la vita. Il che è l'unico aspetto positivo di questa tragedia (c'è sempre, un aspetto positivo, anche nelle tragedie).

[7] Il suicidio, tranne i rari casi eroici e ideali (che però proprio sani

Da notare che i bambini veri, anche se abbandonati, non si suicidano mai.

Non che gli manchino i mezzi (quanti giocattoli sono delle vere e proprie armi!), ma la natura, che in loro agisce ancora in funzione della sopravvivenza, gli fornisce le risorse, anche mentali, per affrontare una solitudine che, in fin dei conti, è assolutamente naturale e che comunque è destinata ad essere superata dalla personalità adulta.

Il possesso di un altro individuo, infatti, non è contemplato, in natura.

Nessun animale si sogna di possedere un altro animale.

Il possesso di un'altro individuo, sia esso animale o umano, è riscontrabile soltanto presso gli umani nevrotici, che vanno evidentemente *contro natura*.

Ma c'è una *legge psicologica* che chiameremo

LEGGE PSICOLOGICA NUMERO DUE

NESSUNO PUÒ POSSEDERE NESSUNO

Anche chi va contro questa legge, è destinato a soffrire e a far soffrire gli altri.

I nevrotici "bambini" sono facilmente riconoscibili perché sono sempre pieni non soltanto di pretese, ma anche di **lamenti**[8] e di **rimproveri**, o meglio, di **accuse**.

---

non sono mai), è sempre l'esito di una sindrome depressiva che ha come base una personalità infantile incapace di affrontare e superare la *solitudine*, configurandosi una separazione dal resto dell'universo che depriva la sua vita di ogni senso.

[8] È tipico del nevrotico "bambino", lamentarsi. Se un nevrotico "bambino" esce con voi ed ha mal di testa (ma intanto, perché, se ha

«Perché non mi dai questo, perché non mi fai quello, perché non ti comporti così», e così via.

Una caratteristica ricorrente della nevrosi infantile è infatti una caratteristica tipica del bambino vero: l'incapacità di sopportare e gestire la *sofferenza*.

La responsabilità della propria sofferenza viene quindi sistematicamente scaricata sugli altri.

«Tu mi hai fatto soffrire quando mi hai detto...»

«Tu mi hai fatto soffrire quando hai fatto...»

«Tu mi hai fatto soffrire quando mi hai fatto fare...»

Ma c'è una *legge psicologica* che chiameremo

LEGGE PSICOLOGICA NUMERO TRE

NESSUNO PUÒ FARE SOFFRIRE NESSUNO

Parlo ovviamente della *sofferenza psichica*.

La sofferenza psichica è infatti il risultato della *lettura personale* degli eventi e delle situazioni, e non una conseguenza oggettiva degli stessi.

So che questa affermazione è difficile da accettare, ma è così.

La prova è irrefutabile.

---

mal di testa, esce con voi e non se ne sta a casa sua per i cavoli suoi?) non fa altro che lamentarsene. Il lamento è una richiesta di assistenza, non è mai fine a se stesso. Diffidate da chi vi dice che ha bisogno di lamentarsi ma che non pretende che voi ve ne preoccupiate. Mente spudoratamente. *Vuole*, che voi ve ne preoccupiate. Eccome. E s'incazza se non lo fate. L'adulto invece non si lamenta mai. Se ha mal di testa, se ne sta a casa sua per conto suo e non vi assilla con il suo lamento: come gli animali, che, malati, si ritirano in silenzio nella loro tana e non rompono le palle a nessuno.

Uno stesso evento o una stessa situazione viene vissuta da persone diverse in modo diverso: in alcune suscita sofferenza, in altre no; non solo, ma la stessa persona legge una stessa situazione in modo diverso in momenti diversi.

Qualunque evento o situazione, possono essere letti in chiave di sofferenza, per chi è portato alla sofferenza: persino la pioggia e il suo opposto, il sole.

Se noi soffriamo perché qualcuno ci dice qualcosa o perché qualcuno fa qualcosa, la responsabilità della nostra sofferenza non è di quel qualcuno ma *nostra*, **che non siamo in grado di *gestire* ciò che quel qualcuno dice o fa**.

Infatti

> **soltanto noi abbiamo la responsabilità
> della nostra sofferenza**

Perché il nevrotico "bambino" si costruisce da solo tanta sofferenza?[9]

Perché si crea continuamente delle *aspettative*.

Si aspetta dagli altri, e in particolare dalla persona che ha eletto a suo "genitore", che egli rivolga a lui, o a lei,[10]

---

[9] Se all'adulto il nevrotico "bambino" fa soltanto rabbia, al genitore egli non può non fare pena: è la creatura più infelice dell'universo, dopo una particolare specie di molluschi semi-intelligenti del pianeta Mollo2 della costellazione delle Pleiadi, i quali rimangono per tutta la loro vita – brevissima – attaccati ad uno scoglio non bagnato dall'acqua – elemento per loro indispensabile – senza potere né parlare fra loro, né sentire musica, né soprattutto andare a ballare – cosa che prediligono –, anzi senza potere neppure muoversi: non hanno altro da fare che covare pensieri cupi e aspettare di crepare.

[10] Come si può vedere io non dimentico mai le donne, a differenza degli scrittori maschilisti che parlano tutto al maschile e non degnano mai di attenzione né loro né i loro problemi. Per me le donne sono magiche!

tutta la sua attenzione, tutto il suo affetto, tutta la sua dedizione, tutta la sua disponibilità, tutta la sua presenza,
tutto il suo amore.[11]

E se le sue aspettative vengono deluse, ed è logico e
naturale che prima o poi vengano deluse perché nessuna
persona al mondo è disposta a dedicare la propria vita ad
un'altra persona adulta e in buona salute (fisica), allora
lui, o lei, si convince finalmente che quella persona non è
il genitore che lui, o lei, aveva pensato che fosse, e, clamo-
rosamente, definitivamente, drammaticamente, lo *rifiuta*.

I *rifiuti* sono un altro comportamento tipico dei nevrotici "bambini".

ASPETTATIVE e RIFIUTI
sono comportamenti tipici dei nevrotici "bambini"

Esattamente come i bambini veri.

I bambini veri infatti vivono, di aspettative e rifiuti.

Si aspettano di essere assistiti e nutriti e rifiutano chi
non lo fa.

È per questo, che soffrono sistematicamente e cronicamente.

---

[11] Il nevrotico "bambino" non ammetterà mai di pretendere *tutto*
dall'altro, perché non avendo più quattro anni (almeno all'anagrafe) si
rende conto dell'esagerazione della pretesa, e si giustificherà dicendo
«io non pretendevo tutto, ma almeno che fosse presente, che ci fosse
quando io avevo bisogno, che mi dimostrasse ogni tanto il suo amore».
Non credetegli, è uno spudorato bugiardo. Egli non si accontenta del-
l'attenzione dell'altro ogni tanto, la vuole *sempre*. Infatti che l'altro gli
dedicasse *ogni tanto* la sua attenzione è inevitabile, in quanto il "bambino" e il "genitore" vivono rigorosamente insieme e non si può igno-
rare, anche volendo, un convivente.

Lo ha detto anche il Buddha: *Il desiderio di ciò che non si ha* (le aspettative), *il rifiuto di ciò che si ha* (i rifiuti), *sono le cause dirette della sofferenza*.[12]

Ma ricorda

ciò che rifiuti ti uccide, ciò che accetti non ti fa niente

Ma perché il nevrotico "bambino" si fa tante aspettative e ha tanti rifiuti?

Perché, come il bambino vero, è *incapace di dominare l'ambiente*.

Ma come si domina l'ambiente?

Non certo trasformando l'ambiente e adattandolo ai nostri bisogni.

Certamente non sempre e non sistematicamente.

Vi sono casi, molti casi, nella pratica giornaliera di un individuo, praticamente quasi sempre, dove siamo *noi* a doverci adattare all'ambiente.

L'adattamento all'ambiente è il segreto della *sopravvivenza*.[13]

Ed è proprio l'incapacità di sopravvivenza in quanto incapacità di adattamento all'ambiente, ad essere la carat-

[12] Thich Nhat Hanh, *Vita di Siddhartha il Buddha*, op. cit., pag. 103.

[13] Un certo Charles Darwin, autore di un'opera che oggi quasi nessuno legge più, dal titolo *On the Origin of Species by Means of Natural Selections* (Londra, 1859), sostenne che l'adattamento all'ambiente, e quindi la capacità di sopravvivenza, è alla base della selezione delle specie animali e vegetali e dà luogo ad un cambiamento morfologico e comportamentale delle stesse che possiamo considerare come *evoluzione*.

teristica principale del bambino, che viene sopperita in natura dall'assistenza dei genitori.

La stessa incapacità di adattamento all'ambiente rimane la caratteristica principale del nevrotico "bambino".

Il quale però, non avendo più diritto istituzionalmente a dei genitori, è istituzionalmente un *incontentabile*.

il nevrotico "bambino" è incapace di dominare l'ambiente e quindi è INCONTENTABILE

Il nevrotico "bambino", come il bambino vero, non è mai soddisfatto.

La realtà non gli va mai bene.

Se ha una cosa ne vuole un'altra.

Vuole sempre quello che non c'è e non gli piace mai quello che c'è.

Ha bisogno sistematicamente di un "genitore" che gli procuri quello che lui vuole e che non è in grado di procurarsi da solo.

Quindi ha bisogno di un "genitore" per essere felice.

Fa sempre dipendere la propria felicità da qualcun altro o da qualcosa d'altro.[14]

Ma, tragicamente, non ha più l'età per fare il bambino e quindi tutti lo mandano a quel paese.

È per questo, che soffre le *pene d'amore*.

L'amore che *lui* vuole per sé.

La sua felicità sarebbe quella di avere la sua mamma

---

[14] Una manifestazione nevrotica tipicamente infantile e molto diffusa è quella di demandare agli oggetti la propria felicità: le auto, i vestiti, i gioielli ecc. ecc. Portata all'estremo psicotico questa patologia diventa cleptomania o accumulo (anche di cibo: bulimìa).

sempre accanto a sé e stare attaccato alle mammelle della sua mamma per l'eternità.

E poiché questa condizione è materialmente irrealizzabile, lui (o lei) è un eterno (o un'eterna) infelice.

Un'altra caratteristica tipica dei nevrotici "bambini", che costituisce l'amplificazione dell'incapacità di sopportare le frustrazioni già vista per i bambini veri, è la loro incapacità di affrontare, di sopportare e di gestire i *disagi* e le *responsabilità*, cioè le sconfitte, le perdite, gli insuccessi, la sofferenza, le difficoltà, gli impegni, i doveri.

l'incapacità di gestire
DISAGI e RESPONSABILITÀ
è una caratteristica del nevrotico "bambino"

I nevrotici "bambini" scaricano sistematicamente la responsabilità delle proprie sofferenze sugli altri, attribuendo agli altri la causa di tutte le loro disgrazie.

Si atteggiano sempre a vittime.

Ma in realtà sono dei carnefici.

Perché sono dei fabbricatori sistematici di sensi di colpa (negli altri, in loro stessi mai).

Infatti chi ha sviluppato un minimo di personalità genitoriale si lascia facilmente intrappolare nei sensi di colpa che loro ti gettano addosso.

« Perché li hai abbandonati nel momento in cui loro avevano bisogno di te, perché su di te non possono mai fare affidamento, perché tu non li ami» eccetera eccetera.

Si crea così una situazione bloccata e ripetitiva di sofferenza a due dentro la quale il "bambino" trascina la propria vittima, il proprio genitore elettivo, e da cui entrambi non riescono più a liberarsi.[15]

Il "bambino" non riesce ad uscirne perché tale situazione alimenta la sua persistenza nella personalità infantile ed appaga temporaneamente, ma inesauribilmente, la sua inestinguibile fame affettiva.

Il "genitore" non riesce a liberarsene perché il suo ruolo genitoriale è cristallizzato ed impossibilitato ad andare in vacanza.

Di rapporti di coppia di questo tipo ne è pieno il mondo.

Di solito si risolvono con la fuga del "genitore", che prende coscienza dei ricatti affettivi del "bambino", vi si ribella, e visto che non riesce a fare ragionare l'altro, cioè a farlo uscire dalla sua coazione nevrotica, lo abbandona per salvarsi quel poco di vita che gli rimane.

Sempre che riesca a farcela mantenendo salva la pelle, perché, come abbiamo visto, il bambino abbandonato uccide.

Un genitore di questo tipo di solito è un adulto.

Il "bambino", incosciente della propria nevrosi come tutti i nevrotici, continuerà per tutta la vita ad accusarlo di averlo abbandonato e maturerà per lui un odio che diventerà l'unica sua ragione di vita, insieme con la soddisfazione di potersi lamentare con tutti della sua "ingiusta" disgrazia.

Infatti, per il "bambino", il "genitore" che lo ha abbandonato e che lui ha scoperto non essere un genitore ma un adulto che si fa i cavoli suoi, è *uno stronzo*, per usare la fraseologia comune.

Per contro, per il "genitore", il "bambino" del quale egli si è liberato è *una piaga*.

[15] In analisi transazionale questa situazione bloccata e ripetitiva viene denominata "*copione*": cfr. E. Berne, *Analisi transazionale*, op. cit.

Entrambi in realtà sono dei poveri disgraziati che soffrono e che devono crescere ed è precisamente così che li vede il vero genitore.

per il bambino gli adulti sono degli stronzi
per l'adulto i bambini sono delle piaghe
Per il genitore i bambini e gli adulti
sono dei disgraziati che devono crescere

Nelle società ricche, dove la collettività provvede al soddisfacimento dei bisogni fondamentali dei singoli individui, l'evoluzione psicologica naturale non è strettamente necessaria alla sopravvivenza individuale.

Uno può permettersi il lusso di rimanere bambino anche a quarant'anni e persino a settanta e con ciò sopravvivere, diversamente da quanto accade nelle società povere.

In una società dove i "bambini" sono molti (persino la maggioranza), ovviamente, per una naturale ragione di difesa collettiva, la loro patologia viene contrabbandata per normalità e il loro vampirismo affettivo viene definito "amore".

Donne che amano troppo, della psicoterapeuta americana Robin Norwood, descrive molto bene, per il versante femminile, questa patologia.[16]

Ciò accade specialmente nella cultura latina, ammalata tradizionalmente di *mammismo*, il quale costituisce una condizione particolarmente favorevole allo sviluppo della nevrosi infantile e costruisce quindi sistematicamente individui eternamente "bambini".[17]

[16] Cfr. R. Norwood, *Donne che amano troppo*, Feltrinelli, 1989.
[17] Il mammismo tradizionale dei paesi latini è stato rinforzato da una ricchezza economica derivata da un'economia industriale che ha

Quando il nevrotico "bambino" non trova nessun essere umano disposto (secondo lui, adatto) a fargli da genitore, si trova un **genitore surrogato**.

Il genitore surrogato più diffuso è l'*animale*, più comunemente il cane, meno il gatto, che si fa di più i cavoli suoi ed è comunemente considerato meno affettuoso: alcuni "bambini" lo tacciano apertamente di essere uno sporco egoista.

Perché quello che a loro interessa è ricevere le coccole, non farle (se le fanno, è per riceverle a loro volta).

Infatti apparentemente il "bambino" fa da genitore al cane.

Ma in realtà egli lo usa come *fornitore affettivo* (tanto da rientrare nella categoria "bambini camuffati").[18]

Infatti è inconfutabilmente convinto di essere appassionatamente amato da lui.

Ma scambia per amore la dedizione che il povero animale ha istintivamente nei confronti del capo branco.

E il povero animale, rimasto bambino come il suo padrone non avendo potuto sviluppare con la caccia la sua personalità adulta, identifica il suo padrone con il capo branco che avrebbe in natura.

Il genitore surrogato può essere anche un'**entità ideale**: una persona immaginaria, una collettività, o un'ideologia.

Il santo protettore è un genitore immaginario.

Il partito, la sètta, la comunità, la famiglia, sono genitori surrogati.

---

sostituito l'economia agricola in tempi troppo brevi perché il mammismo potesse essere superato, come è avvenuto invece nei paesi anglosassoni, che hanno vissuto la rivoluzione industriale nella metà del Settecento e hanno avuto tutto il tempo di adattarvisi.

[18] Vedi capitolo successivo.

Gli affiliati a sètte o a partiti, ai quali essi dedicano tutta la loro vita e dai quali si aspettano protezione e sicurezza, sono casi di questo tipo.

L'entità ideale non solo è davvero un genitore ideale, ma è l'*unico* genitore ideale, in quanto può rimanere sempre uguale a se stesso ed essere sempre a disposizione del "bambino": e non potrebbe essere diversamente perché è partorito dalla mente dello stesso "bambino" e quindi assolve idealmente a tutti i suoi bisogni e desideri.

Normalmente si crede che un bambino ami i propri genitori.

Mi spiace deludere chi crede in questa favola, ma la realtà è che non è vero.

Provate ad allontanarvi dalla culla di vostro figlio per andare a riposarvi, a dormire, a mangiare o anche soltanto per andare al gabinetto.

Sentirete, che strilli.

A lui non gliene frega niente di voi e dei vostri bisogni.

A lui interessa soltanto se stesso e la sua sopravvivenza.

Giustamente.

Provate a lasciarlo a casa solo e andare a ballare o al cinema.

Sentirete, che strilli.

Dei vostri bisogni e dei vostri piaceri a lui non gliene frega niente.

Perché lui non vi ama.

Il bambino non ama nessuno.

Nemmeno se stesso.

Non per cattiveria.

Semplicemente perché non può.

Come può infatti uno dare amore se non ne ha?

Il bambino ha bisogno, d'amore.

Come può darne?

Immagina di essere in un bosco e di non essere capace di procurarti il cibo.

Tu sei un *bambino*.

Rischi di morire di fame, quindi trovare qualcuno che ti procuri il cibo diventa lo scopo primario della tua vita.

Finalmente trovi qualcuno disposto a fornirti il cibo che tu non sei capace di procurarti da solo.

Ti attacchi a lui come alla fonte primaria della tua sopravvivenza.

Se costui per una ragione qualsiasi smette di fornirti il cibo, tu impazzisci e fai carte false per obbligarlo a continuare.

Saresti capace di ucciderlo, pur di costringerlo a continuare a procurarti il cibo di cui hai bisogno per sopravvivere.[19]

---

[19] Ultimamente, in Italia, sta diventando di moda, da parte dei bambini, uccidere i genitori. È assolutamente naturale, che i figli uccidano i genitori, in quanto debbono rompere il legame di dipendenza che li lega a loro e liberarsi dal loro dominio. Ma questo dovrebbe avvenire soltanto *simbolicamente*. Gli antichi greci avevano capito benissimo questo processo, tanto è vero che vi hanno costruito sopra un'opera d'arte immortale, l'*Edipo Re*, in cui il figlio uccide il padre e prende possesso del suo potere e persino della sua sposa (la madre). Anche il nostro Freud ha capito benissimo che questa tendenza è affatto naturale e fa parte dello sviluppo della personalità adulta. E quando questo processo non avviene, diventa un *complesso*, ossia un nodo inconscio non risolto, e quindi un blocco emotivo e comportamentale, che Freud ha chiamato appunto « complesso di Edipo ». Il problema è che i "bambini" non si accontentano più di uccidere simbolicamente i propri "genitori" (coniugi o fidanzati), ma lo fanno per davvero. E non per liberarsi dalla dipendenza da loro, bensì perché loro, i "genitori", finalmente, esasperati dalle loro pretese, li mandano a quel paese.

Se costui continua per tutta la vita a fornirti il cibo senza insegnarti a procurartelo da solo, tu rimani per tutta la vita dipendente da lui, e quindi bambino.

Il bambino non soltanto non ha amore universale, ma non ha amore per nessuno, nemmeno per se stesso, perché in realtà è vuoto e deve essere riempito, d'amore.

L'unico scopo della sua vita è riempirsi d'amore.

Come l'affamato, non gli importa di nulla e di nessuno, all'infuori della sua fame d'amore che deve saziare per sopravvivere.

Lui, è al centro del suo universo buio e vuoto.

Lui, lui, lui, lui, lui, lui, lui, lui, lui, lui, lui, lui, lui, lui, lui, lui, lui soltanto!

Lei, lei, lei, lei, lei, lei, lei, lei, lei, lei, lei, lei, lei, lei, lei, lei, lei, lei soltanto!

E così il nevrotico "bambino".

Un'altra caratteristica tipica del nevrotico "bambino" è la *paura*, che abbiamo già visto essere la dimensione psichica costituzionale del bambino vero.

Ma mentre la paura del bambino vero diviene episodica per la presenza pressoché costante del genitore che lo conforta e lo protegge, la paura del nevrotico "bambino" finisce per divenire abituale per l'impossibilità materiale di una presenza continua del "genitore" da lui adottato e quindi di una protezione permanente.

la PAURA
è la dimensione psichica abituale
del nevrotico "bambino"

A differenza dell'adulto, che ha paura soltanto di pericoli reali, il nevrotico "bambino" ha paura anche di *pericoli immaginari*.

il nevrotico "bambino" è affetto da *PAURE IMMAGINARIE*

Le *paure immaginarie* assillano il nevrotico "bambino".
Egli ha paura di non essere amato.
Ha paura di rimanere solo.
Ha paura di invecchiare.
Ha paura di diventare brutto.
Ha paura di ammalarsi.
Ha paura di diventare povero.
Ha paura di finire in un ospizio.
Ha paura di morire.
Ha paura di tutto.
Soprattutto del *futuro*.
Eh sì, perché non essendo in grado di affrontare il presente, si immagina chissà quali difficoltà anche maggiori nel futuro.
Le sue paure immaginarie riguardano infatti soprattutto il futuro.

Definiamo bene le *paure immaginarie* affinché si impari a riconoscerle, perché esse costituiscono la causa principale della sofferenza e dell'infelicità del nevrotico "bambino".

le paure immaginarie sono quelle prive di un aggressore fisicamente presente

Spieghiamo bene questo concetto perché la mia esperienza mi ha insegnato che molte persone hanno grosse difficoltà a capirlo.

Se io esco di casa, attraverso la strada e mi viene addosso un autobus, questo è evidentemente un pericolo *reale*: esiste in questo caso un aggressore fisicamente presente (l'autobus).

È bene, che io provi paura.

Anzi, è *necessario*.

Se non provassi paura finirei sotto l'autobus.

È la paura, infatti, che mi fa fare un salto e mi salva la pelle.

Ma se sono seduto comodamente nella mia poltrona in casa mia e *penso* che domani, uscendo di casa, *potrei* essere travolto da un autobus, non esiste in questo caso un aggressore fisicamente presente.

Quindi si tratta, in questo caso, di una *paura immaginaria*.

La cosa non è così semplice come sembra.

Ci sono persone che sono incapaci di distinguere fra la realtà e il pensiero.

Prendi questo caso.

Tu vedi molte persone intorno a te morire di cancro.

Pensi che *anche tu* potresti morire di cancro.

E questo ti terrorizza.

Ma dov'è l'aggressore fisicamente presente?

Non c'è.

Quindi si tratta di una *paura immaginaria*.

A questo punto tu mi obietti: «Ma il cancro è una cosa reale».

Io ti rispondo: «Sì».

«Quindi la mia è una paura reale» mi ribatti tu.

«No», ti dico io.

«E perché no?»

«Perché tu, fino a prova contraria, *di fatto* non sei ammalato di cancro».

«Ma potrei esserlo. Non è un fatto, questo?»

«No», ti dico io. «Questo non è un fatto».

«Perché non è un fatto?»

«Perché esso sussiste soltanto nell'universo del possibile e l'universo del possibile appartiene al mondo della mente e non al mondo della realtà. I fatti invece appartengono esclusivamente al mondo della realtà, non al mondo della mente. Nel mondo della mente è possibile tutto ciò che non è *logicamente* impossibile, cioè *quasi tutto*. Nel mondo della realtà esiste soltanto ciò che accade. E non sta accadendo che tu sia ammalato di cancro».

«Ma può accadere nel futuro».

«*Può* non significa che accade. Il futuro non è realtà, come non lo è il passato. Sia il passato sia il futuro sono soltanto delle immagini nella nostra mente: il passato come ricordo, il futuro come invenzione costruita utilizzando il materiale dello stesso ricordo».

«Non mi convinci. Continuo ad essere terrorizzato».

«Lo so e non mi aspettavo di convincerti».

«E allora perché mi hai fatto tutto questo discorso?»

«Per farti capire che la tua paura non è razionale, non è il risultato di un ragionamento. Se lo fosse lo avrei smontato con la mia dimostrazione, che è ineccepibile e tu non avresti più paura».

«E allora?»

«Allora devi capire che la tua paura è un prodotto del tuo *inconscio*. È il tuo inconscio, che ha di te un'*immagine infantile*, e quest'immagine produce la tua paura, contro qualsiasi ragionamento».

«Allora cosa devo fare?»

«Devi cambiare la tua personalità. Devi smetterla di fare il bambino o la bambina, crescere, diventare un uomo o una donna (secondo le tue inclinazioni sessuali), e automaticamente smetterai di farti le seghe mentali con paure immaginarie sul mondo del possibile. Senza nessun ragionamento e senza nessuna fatica».

Ricorda:

tutte le volte che soffri di paure immaginarie
stai vivendo una regressione alla personalità infantile
se questo avviene sistematicamente
sei affetto da una nevrosi infantile

Sindromi cliniche ben conosciute e determinate nei loro sintomi, come l'**ansia** generalizzata e il **panico** acuto recidivante, che sono sistematizzazioni della paura immaginaria, hanno la loro causa principale nella *nevrosi infantile*: altro non sono che manifestazioni della nevrosi infantile.

Anche la **depressione** che ha la sua matrice in un'autoimmagine debole o negativa è sostanzialmente una *regressione alla personalità infantile* e quindi sostanzialmente una manifestazione della *nevrosi infantile*.

Possiamo anzi dire che tutte le nevrosi a componente ansiosa e tutte le nevrosi a componente depressiva sono riconducibili alla *nevrosi da coazione all'attivazione della personalità infantile*.[20]

Come è ben noto, la sindrome ansiosa e la sindrome depressiva si presentano spesso entrambe in alternanza

---

[20] Si intende qui le nevrosi ansiose e le nevrosi depressive, più ricorrentemente le nevrosi bipolari ansioso-depressive, di origine *non traumatica*, che costituiscono la maggioranza dei casi oggi ricorrenti.

nello stesso soggetto, che si dice in questo caso affetto da nevrosi ansioso-depressiva o nevrosi bipolare.

La nevrosi ansioso-depressiva è specificamente la conseguenza di una mancata evoluzione naturale della personalità, cioè si configura come una *nevrosi da coazione all'attivazione della personalità infantile.*

la nevrosi ansioso-depressiva è sostanzialmente una nevrosi infantile

Poiché la nevrosi ansioso-depressiva è la più diffusa, nelle società ricche, possiamo dire che *nelle società ricche vi è una grande diffusione della nevrosi infantile.*

Come ho già detto, questo fenomeno è dovuto alla *protezione* che la società ricca assicura all'individuo, esonerandolo dalla lotta per la sopravvivenza tipica dell'adulto ed impedendogli quindi di sviluppare questa personalità.

A questo punto, o mio caro lettore, ti regalo un **TEST** che fatto presso un centro di psicoterapia ti costerebbe un casino di soldi (ammesso che ne trovi uno che te lo faccia) e che invece io ti regalo assolutamente *a gratis.*[21]

Vuoi sapere se sei una/un nevrotica/o?

E in particolare se appartieni a questa terribile sottospecie dei nevrotici "bambini"?

Chiediti se soffri di questi stati d'animo:

---

[21] Questo test, da solo, vale il costo del libro: hai fatto un grosso affare, comprandolo. A proposito, perché non lo regali ad una/un amica/o, o meglio alla/al fidanzata/o o alla moglie/marito, che ne hanno tanto bisogno? Comprandone un altro, naturalmente, e non prestandolo. I libri non si prestano! Mai! Perché non te li restituiscono! Non te ne sei ancora accorta/o?

**INSODDISFAZIONE
INADEGUATEZZA
POSSESSIVITÀ
ASPETTATIVE
DEPRESSIONE
LAMENTI
PRETESE
ACCUSE
RIFIUTI
PAURE
ANSIA**[22]

Se ne soffri ricorrentemente o spesso o cronicamente, sei un nevrotico "bambino".

Ma non spararti subito.

Aspetta.

Il tuo caso può essere tragico ma non disperato.

Scrivimi.

Vediamo cosa si può fare.

Nel frattempo leggiti il prossimo capitolo.

Potrebbe essere peggio di quanto sembra.[23]

---

[22] Come vedi, è un *imbuto* nel quale cadi e dal quale non esci più.

[23] Il mio essere affettuoso con la/il mia/o lettrice/tore è una mia caratteristica. Non solo non sono schifosamente maschilista ma sono anche mielosamente paterno. Dove lo trovi un autore così?

Il "bambino" camuffato

È frequente che il "bambino" si camuffi da adulto o da genitore.

Ma si tratta di un finto adulto e di un finto genitore.

È importante, imparare a distinguere un adulto o un genitore finto da uno vero, perché spesso ne va della nostra pelle.

Ma è anche facile.

se non dà non è un genitore
se non prende non è un adulto
se non prende e non dà ma chiede
è soltanto un bambino

Anche se ha i peli lunghi dieci centimetri.

Il "bambino" camuffato da adulto riesce ad imitare l'adulto quasi in tutto tranne che in una cosa: nell'*indipendenza affettiva*.

Può essere competitivo, prevaricante, aggressivo, prepotente, rapinatore ed egoista come un vero adulto, ma non riesce ad essere *autonomo*, come un vero adulto.

Per cui **chiede**.

Chiede attenzione, affetto, riguardo, rispetto, amore.

Chiede continuamente.

Anzi, più che chiedere **pretende**.

E **si lamenta**.

Si lamenta sempre.

Di tutto.

Principalmente della mancanza di affetto, di cure, di attenzione degli altri nei suoi riguardi.

Specialmente da parte del "genitore" designato.

E spesso **accusa**.

Accusa di essere trascurato, di essere ingannato, di non essere capito, di non essere assistito, di non essere aiutato, di non essere amato.

Spesso persino uccide, fisicamente o moralmente.

Maria è una signora anziana.

Vive con la figlia, che ha praticamente costretto a rimanere con lei boicottando tutte le occasioni di matrimonio che le sono capitate, attraverso giudizi sistematicamente negativi su ogni fidanzato.

Maria è dura, risoluta, caparbia, aggressiva, direttiva e anaffettiva.

Comanda, ordina, rimprovera, rimbrotta continuamente la figlia.

Apparentemente è un'adulta.

Ma *si lamenta*.

Si lamenta di tutto.

Questa è già una spia: l'adulto vero non si lamenta mai.

E poi ha *paura*.

Ha paura di tutto.

Ha paura delle malattie, del maltempo, dell'inflazione, degli extracomunitari, dei ladri.

Ma soprattutto *pretende*.

Pretende che la figlia stia in casa con lei la sera e non esca con le amiche o peggio con gli amici.

Pretende che la figlia stia in casa con lei anche la domenica.

Pretende che la figlia non vada in vacanza e rimanga con lei a tenerle compagnia anche durante l'estate.

Inventa acquazzoni, terremoti, scioperi, valanghe, frane e cataclismi, pur di impedire alla figlia di allontanarsi da lei.

Pretende che la figlia stia sempre con lei e non la lasci mai sola.

Pretende dalla figlia un rapporto affettivo assoluto ed esclusivo.

Esattamente come fa un bambino con la madre.

Perché in realtà la madre è il bambino e la figlia è la madre, in questo rapporto patologico.

«Tu devi volere bene soltanto a tua madre» dice alla figlia.

Ma non è mai soddisfatta, delle premure della figlia, per quanto assidue.

Le chiede continuamente di avere più attenzioni per lei, di stare ad ascoltarla, di obbedirle, di dedicare a lei la propria vita.

Questa è la prova definitiva.

L'ho detto: quando una persona chiede, chiede continuamente, e pretende, pretende attenzione, affetto, obbedienza, fedeltà, esclusività, è immancabilmente, indefettibilmente, inesorabilmente, un *bambino*.

E Maria è una bambina.

Una bambina camuffata da adulta dura e risoluta.

Ma in realtà è una bambina.

E come una bambina vera se ne infischia della felicità

della propria madre, Maria se ne infischia della felicità
della propria figlia.

Che finirà per rimanere anch'essa una bambina per tutta la vita.

Due bambine disgraziate e infelici.

Ma a lei non importa un accidente dell'infelicità della figlia.

L'unica cosa che le interessa è lei, lei, lei, lei, lei, lei, lei,
lei, lei, lei, lei, lei, lei.

Anche il "bambino" camuffato da genitore riesce ad imitare il genitore finché gli viene dato quello che vuole: l'affetto totale, assoluto ed esclusivo.

Ma come questo gli viene a mancare, allora tutte le sue
arie da genitore superiore e protettivo svaniscono come
neve al sole, tutte le sue premure e le sue gentilezze, tutto
il suo amore apparente, si trasformano in un attimo in un
odio feroce, in un'accusa infamante e senza appello, in un
rifiuto totale e definitivo dell'altro.

Come fa un vero bambino. Che quando il giocattolo o
la bambola si rompono o non lo interessano più, li butta via.

> Quando eri bambina
> sognavi una famiglia e una casa
> tutta tua
> e giocavi con la bambola
> a fare da mamma.
> E stai giocando ancora
> con la tua veste azzurra
> la tua casa pulita
> la tua famiglia ordinata.

> *Ma i tuoi figli, vedi,*
> *non sono bambole.*[1]

Eleonora ha un figlio.

Lo ha atteso per molto tempo, ha temuto per molto tempo di non potere essere madre.

Ci teneva tanto, ad essere madre.

Per lei essere madre è la ragione della sua vita.

Una donna che non è madre, dice, è una donna mancata.

Anzi non è nemmeno una donna, dice lei.

È rimasta per sei mesi sdraiata sul letto con il cerchiaggio al collo dell'utero, anche se il dottore le aveva detto che non era necessario.

Secondo lei, *era* necessario.

Lei poteva anche perderlo, quel figlio.

E non voleva assolutamente perderlo.

Ha fatto tanta fatica, per averlo.

Ha dovuto sottomettersi a delle pratiche sessuali che la disgustavano con un marito che poi non è neppure che le piacesse più di tanto.

Una sofferenza.

Ma adesso finalmente ha un figlio.

Un figlio tutto suo.

Il marito adesso, per lei, non conta più niente.

Ha assolto alla sua funzione e non le serve più.

Se è d'accordo con lei nelle cose che ci sono da fare per *suo* figlio, che naturalmente decide lei, va bene, se no il marito diventa un intoppo, un nemico.

---

[1] Poesia dell'autore scritta per una vicina quando aveva tredici anni (l'autore, non la vicina, che ne aveva invece cinquantasette).

Anzi, se non fosse perché porta a casa lo stipendio, perché mantiene lei e *suo* figlio, lo lascerebbe subito.

Non hanno più rapporti di nessun tipo da molto tempo. Cosa pretende lui?

Non lo vede, che lei è impegnata ad allevare *suo* figlio? Lei è una *madre*, ora.

Per lei suo figlio è al di sopra di chiunque e di qualunque cosa.

Gli anni passeranno e il figlio, nonostante il tentativo (spesso riuscito) della madre di tenerlo bambino per poter fare la madre a vita, svilupperà quanto meno delle pulsioni sessuali che lo porteranno a interessarsi della prima disgraziata disposta ad aprirgli la camicetta (quella della disgraziata, non quella del bambino).

Allora lui la presenterà alla madre.

Dirà addirittura temerariamente (perché pressato dalla camicetta aperta o dalla sua proprietaria) che la vorrebbe sposare.

Ed allora ecco che esce la belva.

La "madre" farà di tutto, ricorrendo anche a mezzi illegali o addirittura apertamente criminali, per eliminare la concorrente.

«Ti devi fidare soltanto di tua madre. Soltanto tua madre, ti vuole bene. Le altre donne sono cattive e non ti vogliono bene. Sono delle donnacce. Sono piene di malattie. Ti fanno finire in sanatorio».

Di solito in questo caso, se le dà retta, il figlio diventa finocchio.

Ma la "madre" non è una madre.

È una bambina.

Perché sì, in tutta questa storia, la "madre" è in realtà una bambina.

Una bambina che prima si è trovata un padre nel mari-

to e poi, quando ha avuto nelle sue mani un essere completamente suo, lo ha sostituito a lui (i mariti, si sa, non
sono mai completamente a disposizione).

Il figlio, è diventato il suo vero marito-padre.

E così la bambina ha finalmente un padre che non la
lascerà mai.

O meglio, che *lei* non lascerà mai.

Tenendolo eternamente "bambino".

Un povero disgraziato costretto a rimanere per tutta la
vita bambino.

E per giunta, probabilmente, finocchio.

Alberta vive sola.

Ha due cani, due poveri Yorkshire nani (già nati disgraziati per conto loro) che usa per colmare le proprie
carenze affettive, come fossero un paio di sci che uno usa
per divertirsi.[2]

È piena di premure, per loro.

Gli compra il filetto, che nemmeno lei mangia, perché
è troppo caro.

Gli mette il cappottino per l'inverno e li porta a fare la
pipì in strada due volte al giorno e anche una volta in piena notte.[3]

---

[2] Questo dei padroni di coppie di cani è un fenomeno diffuso. Di
solito li prendono o tutti e due maschi o tutti e due femmine. «Perché
si tengano compagnia», dicono loro. In realtà non li prendono maschio e femmina (a meno che non vogliano fare soldi con i cuccioli)
perché non si distraggano, ciulando tutto il giorno fra loro, dal loro
compito fondamentale che è quello di tenere loro compagnia.

[3] Questo dei proprietari di cani che vagano nella notte per le strade dietro ai poveri reclusi durante la loro ora di "aria" (nemmeno i
carcerati escono all'aria soltanto per pisciare) è, insieme con quello dei

Apparentemente è piena di premure.

Gli fa da mamma.

Ma li costringe a stare rinchiusi in casa a tenerle compagnia per tutta la vita, rifiutandogli quella natura aperta e selvaggia per la quale loro sono stati creati.[4]

Gli impedisce una sana e normale vita sessuale.

Gli impedisce di avere rapporti con altri loro simili (specie dell'altro sesso), con la scusa che tanto li hanno già fra di loro.

Il risultato è che diventano due finocchi.

O due lesbiche.

E, quel che è peggio, rimangono due poveri bambini.

Perché non avendo imparato a cacciare e a sopravvivere, non sono diventati adulti.

Li ha resi due poveri nevrotici a sua immagine e somiglianza.

Della loro felicità, non gliene frega niente.

Soltanto apparentemente, le sta a cuore.

Perché non si chiede mai cosa sarebbe la loro felicità.[5]

---

fumatori intirizziti nelle loro giacchette con il bavero alzato sui marciapiedi delle città, uno degli spettacoli più commoventi delle ricche società industriali. Non so se definirli patetici o disgustosi.

[4] I cani, in natura, hanno un territorio di diversi ettari (un ettaro è, ricordiamolo, diecimila metri quadrati). Tenere un cane a vivere in un appartamento per tutta la vita è come rinchiudere per tutta la vita un essere umano nella ritirata di un vagone ferroviario, facendolo uscire ogni tanto per timbrare il biglietto.

[5] L'unica felicità di un cane è vivere libero in natura senza nessun padrone che gli rompa le balle. Naturalmente per essere completamente felice dovrebbero esserci anche altri cani, liberi in natura. Ma ormai non è più così. Li abbiamo completamente fregati, questi poveri animali. Gli unici ad essere liberi e felici sono i *dingos* (cani selvaggi e randagi) dell'Australia. Dove, tanto per non smentirsi, gli esseri umani

Si risponde a priori cosa lei ritiene sia la loro felicità.
In realtà li usa per la propria.

In realtà ha eletto i due poveri animali inconsapevoli a suoi genitori, a suoi dispensatori affettivi, a suoi intrattenitori nelle serate d'inverno, a suoi accompagnatori nelle passeggiate d'estate, a suoi difensori dai pericoli notturni.

Esattamente come un bambino fa con i propri genitori.

Lei non dà niente per niente.

Dà premura e sollecitudine per assicurarsi un ritorno di fedeltà, di attenzione, di affetto, di cui è affamata.

Perché Alberta è una bambina mascherata da genitore.

Non dà niente a nessuno.

Dà per avere.

Quello che vuole non è dare, è avere.

E dai suoi cani, dai suoi piccoli disgraziati, lei ha, lei prende.[6]

Da loro prende attenzione, dedizione, fedeltà, presenza continua.

Esattamente quello che vuole un bambino.

---

li prendono a fucilate con la scusa che gli rovinano i raccolti. Gli amanti degli animali e in particolare gli amici dei cani tengano conto di questa nota per capire che io non sono contro di loro in generale ma contro coloro che usano gli animali e in particolare i cani per il proprio bisogno e non per la loro (quella dei cani) felicità. Basta esserne consapevoli. Anch'io sono stato per anni compagno (ma non padrone) di un cane che faceva i comodi suoi perché libero in campagna e veniva da me soltanto per completare la sua dieta di uccelletti e galline (dei vicini, quando riusciva a prenderle). Ma non ci usavamo a vicenda (come cane da guardia era un fallimento). Eravamo soltanto amici.

[6] Perché poi non se ne è preso uno solo? No: ne ha voluti fregare due. Ve lo dico io, il perché. Perché due genitori sono meglio di uno. Se uno si ammala, se uno muore, c'è sempre l'altro di rimpiazzo. Ecco il perché. Terribile!

Ma non sa che l'attenzione, la dedizione, la fedeltà, la presenza continua che ottiene non sono quelli di un genitore ma di altri bambini come lei, che vogliono esattamente le stesse cose che vuole lei e che stanno fra i piedi di lei come lei sta fra i piedi di loro per lo stesso identico scopo.

Perché i cagnini messi nelle case degli uomini sono privati della possibilità di cacciare in natura e quindi di sviluppare la loro personalità adulta e restano, esattamente come i loro padroni, dei "bambini" per tutta la vita.

Dei nevrotici, come i loro padroni.

"Bambini" con "bambini" (il loro è appunto un matrimonio fra "bambini": di esso parlerò più avanti).

Entrambi, Alberta e i suoi cani, vogliono, chiedono, pretendono, prendono.

Alberta prende quello di cui è assetata e che crede (illusoriamente) le venga dato dai suoi cani: affetto, affetto, affetto, affetto, affetto, affetto, affetto, affetto.[7]

I suoi cani prendono da lei quello di cui sono affamati e che gli viene effettivamente dato da Alberta, del cui affetto se ne infischiano se non è accompagnato da quello che loro vogliono: cibo, cibo, cibo, cibo, cibo, cibo, cibo, cibo, cibo, cibo, cibo.[8]

---

[7] I cani, con buona pace di tutti i loro padroni, non danno affetto (che non sanno nemmeno cos'è, come tutti gli animali: non per aridità, ma per la semplice mancanza della *neocorteccia cerebrale*, che permette la trasformazione degli istinti in sentimenti coscienti), ma sottomissione e obbedienza (che sono istinti): esattamente quello che danno in natura al loro *capo branco*, che essendo e rimanendo cuccioli individuano nel loro padrone.

[8] In natura i cani, come tutti gli animali (uomo compreso), mangiano due o tre volte alla settimana, secondo l'andamento della caccia. In cattività, non avendo altro da fare, come tutti gli animali (uomo compreso), mangiano continuamente e in mancanza di cibo si masturbano,

Quindi non fanno altro che prendere, tutti e due, lei e i suoi cani, uno dall'altro.

Loro vogliono essere nutriti continuamente (e di solito il padrone li accontenta, per cui diventano obesi, cardiopatici, cistitici, cirrosici, bulimici ecc. ecc.: e finiscono per costare più di veterinario che di macellaio).

Lei vuole avere l'esclusiva delle loro attenzioni, del loro affetto, del loro amore!

Della felicità di lei a loro non interessa un accidente: gli interessa solo mangiare.

Della loro felicità a lei non interessa un accidente: devono soltanto essere al suo servizio.

Loro, loro, loro, loro, loro, loro, loro, loro, loro, loro, loro, loro.

Lei, lei, lei, lei, lei, lei, lei, lei, lei, lei, lei, lei, lei, lei, lei, lei, lei, lei, lei.

oppure mangiano e si masturbano (anche contemporaneamente: che schifo!). Perché comunque il principio del *piacere* guida, come per tutti gli animali (uomo compreso), la loro vita. La caccia è un piacere molto forte, per gli animali, uomo compreso (specialmente se va a buon fine): la sua privazione deve essere compensata in qualche modo.

Il nevrotico "adulto"

Ezio è un adulto.

Si considera "un cazzuto marine".

Non chiede mai aiuto a nessuno.

È completamente autosufficiente.

Usa gli altri per il suo piacere.

È un single, naturalmente.

Se si è malauguratamente sposato, è per disgrazia, per distrazione o per obbligo.

Se è un tradizionalista mette la moglie incinta prima di sposarla e poi la sposa perché ne è costretto ma se ne pente subito dopo.

Se è un antitradizionalista sposa la moglie quattordicenne per fare un dispetto ai genitori di lei e ai propri, la mette incinta subito dopo e se ne pente a meno di un anno di distanza.

È un marito imprendibile.

Si fa i cavoli suoi.

Ha i suoi amici, i suoi hobby, la sua auto, il suo stereo, le sue amanti.

Il suo ideale, come per tutti i maschi adulti del genere mammiferi, che seguono legittimamente il loro istinto biologico, è l'*harem*.[1] La moglie e i figli rientrano nella categoria degli *optional*.

Se gli va bene è così, se no che vadano al diavolo.

Non gli possono rompere le palle dalla mattina alla sera.

Lui è dentro di sé, come ogni cazzuto marine, un single.

E se non lo è, fa in modo di diventarlo al più presto.

Comunque, si comporta come tale.

---

[1] Qui mi tocca, visto che faccio lo psicoterapeuta e non l'idraulico, aprire una parentesi che farà imbestialire le signore alle quali invece io tengo tanto al punto di scrivere contenta/o, che sono l'unico a farlo e loro dovrebbero apprezzarlo. Il maschio umano è, come il maschio di tutti i mammiferi, *poligamo*. Lo sono i cani, i gatti, i cavalli, i trichechi e gli elefanti. Per non parlare dei mandrilli. Il suo istinto naturale è farsi più femmine possibile. Lo ha fatto così la Natura per assicurare alla Specie la massima probabilità di riproduzione, non è una sua perversione. E non venite a dirmi che l'essere umano è un angelo che deve andare al di là degli istinti. Come mai la femmina vuole avere figli a tutti i costi e se non può averne si prende quelli delle altre donne e persino di una razza diversa dalla sua? Gli istinti sono alla base della nostra vita e guai a non seguirli. Il risultato è la nevrosi. Il problema è che la Natura ha fatto invece la donna *monogama*. Il che serve a farla rimanere nell'harem e quindi a preservare la sua gravidanza perché il maschio quando lei è incinta si fa le altre. Ve l'immaginate una donna che se ne va incinta in giro per la savana da sola? Il primo maschio solitario senza harem in cerca di emozioni forti se la fa senza tante cerimonie. Non gliene frega niente se è incinta. Anzi probabilmente nemmeno se ne accorge perché la tecnica di avvistamento, avvicinamento e conquista è puntualmente attuata stando alle spalle della malcapitata. La Natura non ha affatto previsto il moderno matrimonio monogamico capitalistico che, se ha assicurato al maschio la paternità e quindi la continuità del suo DNA (e del suo patrimonio), ha messo in testa alla femmina che la monogamia del maschio va presa alla lettera e non è soltanto una finzione giuridica. Da qui è nato tutto il contenzioso fra maschi e femmine moderni, che ha riempito il mondo di nevrotici. È per questo, che io faccio lo psicoterapeuta e non l'idraulico. Si lavora persino di più.

La sera, se ha voglia di starsene in casa a sentirsi il suo concerto rock, a guardarsi il suo film di kung fu alla televisione, o a farsi un bagno profumato (difficile che i marines facciano i bagni profumati, ma non si sa mai), lo fa e non chiede aiuto a nessuno (nemmeno per scegliere i sali da bagno).

Ma che nessuno glielo impedisca, se no lo fa a pezzetti, lo butta nel cesso e tira la catena.

Se vuole vedere qualcuna, dà una telefonata alla prima dell'elenco e se quella non ci sta telefona alla seconda e poi giù giù fino all'ultima (in graduatoria di preferenza o di disponibilità).

Se non ci sono le donne ci sono gli amici.

C'è sempre un pokerino o una partita di bowling da rimediare.

E poi ci sono le balere.

Quelle da caccia.

Sono il suo sport preferito.

Un amico ieri gli ha telefonato per dirgli che è giù perché la sua ragazza lo ha lasciato.

Che palle!

Un vero bambino, ecco quello che è!

Non è capace di usare le donne e di gettarle via come va fatto.

Si crea delle dipendenze.

È sempre in cerca di una mamma, l'imbecille.

Ben gli sta!

Le donne sono fatte così: più le cerchi più ti mandano al diavolo; più le mandi al diavolo più ti cercano.

Che vada al diavolo anche l'amico, come tutte le dannate donne che si lamentano continuamente!

Perché è così: le donne o si lamentano o fanno le bambole.

«Gni gni, gne gne, gna gna».

Ma per chi l'hanno preso? Per un dannato peluche?
Che vadano a fare le bambole con i loro peluche!
Lui non ha tempo da perdere.
O scopi o non scopi.
O me la dai o scendi.
Via!

Luigi è un'avvocato.
È un single, naturalmente.
Ha un amico, Cesare.
Con lui va a sciare, gioca a tennis, fa gite in montagna
e viaggi in giro per il mondo.
Con lui ha passato momenti esaltanti e momenti di pe-
ricolo.
Sono una squadra.
Un giorno Cesare viene investito da un'auto.
Gli rompono tre costole.
Luigi gli dice: «Non preoccuparti. Ci penso io. Ti farò
avere il risarcimento che ti meriti. Almeno che tu abbia
questa soddisfazione. Te la meriti».
A causa vinta, su un risarcimento di diecimila euro,
gliene prende sei: «Sai, ho avuto molte spese. Ho dovuto
andare in tribunale quattro volte».
Un vero amico.

Ultimamente Luigi ha cambiato nome.
Si chiama Eleonora, o Giovanna, o Francesca.
Ma non ha cambiato sesso.
O meglio, l'ha cambiato ma soltanto ufficialmente.
Anche se il suo sesso ufficiale è quello femminile e ha
ottenuto una legge che obbliga tutti a chiamarlo "signora"
(proprio come a militare), anche lei adesso è un cazzuto
marine.

Una rambo in minigonna.
Un uomo con le tette.
Una donna con le palle.
E non ce n'è per nessuno.
Via!

Roberta è un ingegnere.
Una single.
Ha mandato affanculo il marito che le rompeva le palle.
Pretendeva che stesse chiusa in casa a fare la donna.
La casa, i bambini, la cucina, il letto.
Lui voleva la serva, la cuoca, la madre, l'amante.
Che se le compri e se le paghi, il cornuto.
Lei ha da vivere la sua vita.
Ha da vivere la sua professione.
Ha da fare carriera.
Già i figli sono una scocciatura.
Però sei una donna, ti tocca.
Ci manca anche il marito, poi.
Ma adesso si è liberata di tutti.
I figli sono cresciuti, non le rompono più le palle.
Il marito l'ha mandato affanculo.
Finalmente sola.
E adesso, finalmente, può davvero farsi i comodi suoi.
Non ce n'è più per nessuno.
Adesso ha solo amiche come lei.
Tutte sole, tutte cazzute, tutte dure.
Sono una squadra.
Come le amazzoni di una volta: via una tetta e giù con l'arco e le frecce.
Quando vanno in discoteca (ci sono anche le discoteche per le quarantenni e le cinquantenni, adesso, grazie al cielo) fanno piazza pulita.

Quei frocetti dei maschi (maschi si fa per dire) se la fanno addosso dalla paura, quando le vedono.

Sono loro, che danno il tempo.

Uno sballo.

L'altro giorno un maschietto appena scaricato dalla sua ex le ha detto che si sentiva tanto giù, che aveva tanto bisogno di un amore vero, di una vera comunicazione umana, che lei sì che è una vera donna e che lo può capire.

E lei appunto ha capito.

Un altro che cerca una mamma.

Un'altra piaga.

Che ritorni dalla sua mamma vera, quel finocchietto.

L'ha scaricato al volo.

Non gli ha dato nemmeno il tempo di farsi accompagnare a casa.

Lei non ha tempo da perdere.

Non ha tempo da perdere né a giocare con i bambini né a cambiargli i pannolini.

Via!

Come si vede, la nevrosi adulta è terribile quasi come quella infantile.

Il nevrotico "adulto" è incapace di essere bambino o genitore, quando la situazione lo richiede.

Qui occorre aprire una parentesi.

La personalità del bambino è un disastro se uno ha soltanto quella a disposizione, ma è indispensabile nell'ambito della comunicazione umana come lo sono le altre due, quella dell'adulto e quella del genitore.

Vi sono momenti in cui saper farsi bambino è fondamentale.

Saper farsi bambino, come ho detto, significa essenzialmente due cose: saper *giocare* e saper farsi *umile*.

Saper giocare è necessario quando ci si trova in un ambito protetto con i propri simili.

Lo fanno tutti gli animali, anche adulti.

Per noi umani saper giocare significa saper ridere, saper scherzare, saper vivere l'allegria, il ballo, il divertimento, il lasciarsi andare, lo stare allo scherzo, il cantare con gli altri, il mangiare e il bere insieme, l'andare tutti insieme su per i monti cantando le canzoni di montagna, correre nudi sulla spiaggia e urlare a squarciagola nelle vallate con l'eco.

Cioè saper vivere la **leggerezza**.

Vi siete accorti che ci sono persone che non sanno ridere e non sanno giocare?

Persone che quando tutti ridono, scherzano, cantano, ballano, se ne stanno da una parte guardando gli altri con disapprovazione o, quando va bene, rifiutandosi semplicemente di partecipare?

Questi sono nevrotici: non sanno essere bambini.

Non sanno ridere.

Non sanno giocare.

Non sanno vivere la leggerezza.

La leggerezza del gioco è la leggerezza della vita, che viene vissuta come gioco.

Certo, non sempre, la vita può essere presa come gioco.

Ci sono momenti in cui essa è decisamente tragica.

Ma non sempre.

Prendere la vita sempre nello stesso modo, o tragico o giocoso, è nevrotico.[2]

---

[2] Il protagonista de *L'insostenibile leggerezza dell'essere* di Milan Kundera è un esempio di tragicità sistematica e quindi nevrotica. Il

La vita è varia, è una sinfonia con molti toni e molti registri, ora tragica, ora comica, ora seria, ora giocosa.

La persona psichicamente sana, psicologicamente evoluta, sa vivere la vita in tutti i suoi toni, in tutti i suoi registri, sapendo essere ora bambino, ora adulto, ora genitore.

Ora serio e impegnato, ora allegro e giocoso.

Un'altra caratteristica della personalità del bambino è l'*umiltà*.

Saper farsi umile significa saper ammettere di avere sbagliato e saper chiedere scusa, saper farsi piccolo piccolo e chiedere perdono e aiuto, saper suscitare negli altri tenerezza e compassione.

Quelli che dicono sempre che loro non vogliono la pietà di nessuno sono dei poveri nevrotici "adulti": la compassione è la base dell'amore e rifiutare la compassione degli altri equivale a rifiutare l'amore.

Che è esattamente quello che fanno gli adulti ai quali non importa un accidenti dell'amore degli altri.

Ma non si può fare sempre gli adulti.

Questo costituisce una inadattabilità all'ambiente e crea un'*incomunicabilità* sociale.

L'incomunicabilità, dovuta ad un egoismo irriducibile, è il grosso limite del nevrotico "adulto".

Egli è sostanzialmente solo.

Non chiede niente a nessuno ma non dà niente a nessuno.

Può anche andargli bene così, tanto se ne frega di tutti.

personaggio creato da Alberto Sordi, sempre superficiale, sempre facilone, sempre scherzoso, è un esempio opposto di giocosità sistematica e quindi anch'essa nevrotica.

Ma vive una vita arida, senza amore, senza vera comunicazione.

Non ha veri rapporti affettivi, veri rapporti umani.

Perché non chiede amore ma è incapace di darne.

È una merda.

La nevrosi adulta è meglio, della nevrosi infantile.

È socialmente più accettabile.

Il nevrotico "adulto" non elemosina amore, assistenza, protezione, conforto e dedizione.

Non rompe le palle a nessuno.

Si fa i fatti suoi.

Il nevrotico "adulto" soffre meno, quindi si lamenta meno.

Anzi non si lamenta per niente.

In compenso, impreca, impreca moltissimo.

Se è toscano, bestemmia.

Come il modello adulto costituisce un'evoluzione del modello infantile, così la nevrosi adulta è di un passo più avanti della nevrosi infantile.

Ma sempre di nevrosi si tratta.

Egli non sa giocare.

Non sa ridere.

Non sa scherzare.

Non sa chiedere scusa.

Non sa chiedere perdono.

Non sa proteggere.

Non ha tenerezza.

Non sa essere affettuoso.

Non sa far le coccole.

Non sa amare.

Non è umano.

Fa schifo.

Il nevrotico "genitore"

Augusta incede in modo austero e pomposo.

Sul suo viso c'è un eterno sorriso di tolleranza, di superiorità, di compatimento.

Se vi fate bambini con lei, è condiscendente, generosa, persino simpatica.

Se provate ad avanzare i vostri diritti di adulti, si adombra, si irrita, s'imbufalisce persino, e allora scatena la sua ira.

Da genitore buono e protettivo diventa genitore cattivo e punitivo.

E non ce n'è per nessuno.

Giovanna è prodiga di attenzioni nei confronti dei figli e del marito.

Per il marito sceglie i libri, gli abiti e gli amici.

Per i figli sceglie tutto.

Con il marito gioca a carte ma vuole vincere sempre e lo rimprovera sempre di giocare male e di vincere soltanto per fortuna.

Con i figli gioca a Scarabeo ma li accusa di essere ignoranti e di non conoscere il vocabolario.

All'assemblea di condominio manda sempre il marito perché lei non ha tempo da perdere dietro a «quattro cretini che godono a farsi infinocchiare» e rimane a casa a preparare dei dolci di cui tutti sono esausti ma che lei continua proterviamente a servire e per i quali si aspetta elogi che se non arrivano la lasciano con il muso per tutta la sera.

Il giorno del suo onomastico (ha deciso che ne ha tre all'anno) ha atteso fino al termine del pranzo con esasperata pazienza che il marito e i figli le facessero gli auguri, accompagnati magari da un regalo (ama molto i regali), e quando ha perduto ogni speranza e persino ogni sicurezza che si siano ricordati del suo onomastico e del loro desiderio di farle il dovuto omaggio, è scoppiata in una scenata che è durata tutto il giorno, durante la quale li ha accusati di essere egoisti, insensibili, menefreghisti, sfruttatori e opportunisti.

Lucio è gentile, premuroso (a parole), persino ossequioso e adulatore, proclama il proprio amore e la propria amicizia con tutti ma si circonda di una corte di persone pronte a correre ad un suo cenno, ad un suo richiamo che suona come una manifestazione d'affetto da parte sua, di fedeltà, d'amore, ma che in realtà è un appello alla loro premurosa, assoluta, inderogabile dedizione.

E guai se vengono meno.

Giulio è stato invitato da Lucio ad un doppio di tennis con parole dolci, suadenti: «Tu sei il mio migliore amico, tu devi venire a giocare con me; senza di te, non gioco».

Il giorno prima dell'incontro, Giulio ha un "colpo della strega".[1]

---

[1] Noto inconveniente in cui il soggetto rimane piegato in due per diversi giorni con forti dolori ai muscoli lombari dovuti a crampi deri-

Telefona a Lucio e gli dice che è costretto a letto e impossibilitato a partecipare all'incontro di tennis.

Lucio, che è rimasto senza compagno e quindi spiazzato, gli dà stizzito dell'"inaffidabile".

E non lo chiama mai più a giocare un doppio.

Anzi non lo chiama più per niente.

Nemmeno per sapere se è guarito o se è morto.

Lo ha cancellato dalla sua vita.

Ha altri cortigiani più "affidabili", di cui servirsi.

Franca è dura, severa, rigida.

Guarda tutti con lo sguardo torvo, giudicante e accusatorio.

Non ride mai.

Soprattuto non scherza, mai.

E guarda con riprovazione quelli che lo fanno.

Sembra vedere sempre negli altri un difetto, un errore, una colpa, un delitto.

E li guarda con disapprovazione, con disgusto, con disprezzo.

È l'impersonificazione del dio del vecchio testamento: il giudice giustiziere.

Non ha pietà per nessuno.

Soltanto con se stessa è indulgente, approvante, esaltante.

Solo lei è giusta, corretta, onesta, leale.

Solo lei è perfetta.

Solo lei, nessun altro.

Il contenuto ricorrente della sua comunicazione con gli

vanti dal freddo o da sforzo prolungato. Ma in questo caso si potrebbe chiamare un "colpo da mago", perché gli rivela la vera personalità dell'"amico".

altri è la disapprovazione, il disprezzo, il rimprovero, l'accusa.

E non soltanto a parole.

Lo trasmette anche e soprattutto con gli occhi, con le mani, con la postura del corpo.

Ha sempre le spalle all'indietro, il busto rigido, il mento puntato verso l'alto e alza sempre le sopracciglia in tono accusatorio.

È un genitore punitivo.

Il **genitore punitivo** non è sano, è nevrotico.

La personalità genitoriale frutto dell'evoluzione psicologica naturale e armonicamente presente nel complesso delle tre personalità naturali della persona psichicamente sana è sempre una personalità *accettante, affettuosa e altruista*.

È un *genitore protettivo*.

Ciò non significa che il genitore non debba mai redarguire, correggere e, se è proprio il caso, punire.

Fa parte del suo compito naturale, dare la corretta educazione ai figli, e quindi correggerli quando sbagliano, magari anche usando le punizioni quando c'è un'assoluta incapacità di comprensione da parte del bambino (cioè quasi mai), ma sempre spiegando al bambino dove ha sbagliato e come deve fare per non sbagliare più.

Lo fanno tutti gli animali.

Infatti la corretta educazione è quella che porta il bambino a diventare capace di affrontare da solo tutte le difficoltà dell'ambiente, non quella che soddisfa i bisogni narcisistici, autoaffermativi, sadici, punitivi e repressivi del genitore.

Un genitore che non sia sistematicamente affettuoso e altruista, sistematicamente accettante e protettivo, che non abbia come suo unico scopo il benessere del bambino ma sia invece sistematicamente interessato a se stesso, a esaltare o a imporre il proprio Io usando il bambino come mezzo di soddisfazione di questo suo bisogno, è un *genitore nevrotico*.

Se un genitore è unicamente interessato a se stesso, se usa il suo ruolo superiore per alimentare il suo Io, se non dona con amore disinteressato ma soltanto per essere ringraziato, adulato, ossequiato e riconosciuto come autorità o come generoso donatore, è un **genitore paternalista**.

Anche il genitore paternalista non è sano, è nevrotico.

Entrambi, il genitore punitivo e il genitore paternalista, non sono il risultato di una sana e naturale evoluzione psicologica.

Sono *nevrotici affetti da nevrosi da coazione all'attivazione della personalità genitoriale*.

Sono coatti in un ruolo genitoriale che esercitano non con amore ed altruismo ma per bisogno di autoesaltazione ed autoaffermazione, di uso e di sfruttamento, di comando e di dominio, persino di violenza e di sadismo.

La nevrosi genitoriale presenta dunque due tipologie: il genitore che punisce sempre e il genitore che vuole sempre essere ossequiato.

Quando sei in presenza di un genitore che sistematicamente rimprovera e punisce o sistematicamente pretende il riconoscimento della propria superiorità, sappi che sei in presenza non di un genitore vero ma di un nevrotico "genitore".

un genitore
sistematicamente punitivo

o sistematicamente autoritario
è un genitore nevrotico

Non è infatti l'autorità, che deve esercitare il genitore, la quale è sempre comunque una forma di violenza, ma l'*autorevolezza*, ossia il prestigio guadagnato con il proprio affetto disinteressato, con la propria esperienza, la propria saggezza e, soprattutto, il proprio **esempio**.

La nevrosi genitoriale è forse il caso meno evidente, delle nevrosi da fissazione della personalità, perché spesso questa personalità è presentata come esemplare.

Ma anche in questo caso, sempre di nevrosi si tratta.

Il caso del *genitore punitivo*, poi, è il caso di nevrosi più nociva e pericolosa che ci sia, che tanti guasti e tante sofferenze ha provocato in milioni di esseri umani (vedi padri-padroni, mariti-padroni, sadici, carnefici, dittatori e quanti altri).

Il nevrotico bloccato nel ruolo del genitore non sa essere bambino.

Non sa giocare.

Non sa chiedere scusa.

Non sa chiedere aiuto.

Ma non sa nemmeno essere adulto.

Non sa collaborare alla pari con gli altri perché si sente sempre superiore agli altri e vuole sempre comandare.

E non sa essere nemmeno un vero genitore.

Non sa essere protettivo, assistenziale.

Perché non ama davvero.

Non ama davvero perché la sua capacità di protezione è sempre e soltanto funzionale al suo bisogno coatto e nevrotico di superiorità, di controllo, di sfruttamento e di repressione.

Alla lunga è persino più antipatico del nevrotico adulto e del nevrotico infantile.

Perché manca fondamentalmente di umiltà e di umanità.

Si sente un dio.

Invece è soltanto un povero diavolo.

E non fa neppure pena.

La coppia sana

Enrico è davanti alla televisione, abbracciato a sua moglie Elena.

Lei si accoccola accanto a lui e fa scivolare il suo capo sotto il suo braccio, come un pulcino che si ripara sotto l'ala della sua mamma chioccia.

Un fiume d'amore e di tenerezza scorre fra lui e lei. Lui sta vivendo l'amore più grande della sua vita e la felicità e il piacere più intenso che abbia mai provato. Lei si sente amata come mai nessuno l'ha amata, protetta come mai nessuno l'ha protetta, ed è felice di una felicità così forte che quasi le manca il respiro.

Lei è la sua bambina e lui è il suo papà.

Poi lui le fa il solletico sul ventre e lei ride forte e agita le gambe in alto gridando «Aiuto, aiuto! Un orco mi vuole mangiare!» Lui allora infila il suo viso fra le coscie di lei e grufola come un maiale. E lei si agita tutta sbattendogli il ventre sul viso e gridandogli «Vai via, brutto porcellino affamato! Vai a mangiarti una patata!» E allora lui felice alza il viso e grida «Sì, sì, sì!»

Sono due bambini che giocano felici.

Quando lui riabbassa il viso sul ventre di lei lo trova completamente nudo, sente che lei è vogliosa e si muove su e giù ritmicamente con un crescendo che lo rapisce e gli fa dimenticare tutto. Si trova ad urlare su di lei e lei gli pianta le unghie nella schiena. Sono due animali assetati di sangue che combattono nella giungla.

Sono due adulti.

E lo sono anche quando, dopo, abbandonati l'uno nelle braccia dell'altro, si raccontano la loro visione della vita e si confidano di avere incontrato Dio dentro di loro.

Allora lui le confessa di non avere mai amato così una donna e soprattutto di non essersi mai sentito amato così da una donna e di avere sofferto molto la sua solitudine e la mancanza di un vero amore nella sua vita.

Lei lo abbraccia e lo stringe forte forte al suo seno e lui abbandona il suo capo sul seno di lei e si fa piccolo piccolo. Sente l'amore infinito di lei per lui e si abbandona completamente fra le sue braccia dove trova la gioia, la felicità, la sicurezza che non ha avuto mai, nella sua vita.

Lei è la sua mamma e lui è il suo bambino.

Questa è una coppia sana.

Perché formata da due persone *normali*.

Due persone che sanno essere, uno per l'altra, ora bambini, ora adulti, ora genitori.

Due persone che hanno un sano, normale, rapporto di coppia.

Una coppia così può durare un'eternità.

È fatta di due pali piantati saldamente nel terreno, ognuno dei quali può stare su per conto suo, senza l'aiuto dell'altro.

Ma insieme fanno una palizzata.

Una palizzata che resiste ad ogni attacco, ad ogni vento, ad ogni invasione.

Una palizzata che non crollerà mai.

Occorre porre l'accento sul fatto che in particolare è indispensabile il possesso della **personalità genitoriale**, nel rapporto di coppia, affinché essa duri nel tempo.

Chi crede di poter entrare nel matrimonio per prendere, per guadagnare qualcosa, sbaglia completamente i propri calcoli.

Sul piano *sessuale*, che è quello che spinge molti giovani a sposarsi, il matrimonio conduce, come molte coppie sanno fin troppo bene, ad un'attività sessuale nettamente inferiore, sia quantitativamente sia qualitativamente, a quella che si ottiene nello stato di single, soprattutto per gli uomini ma adesso con la maggiore libertà sessuale anche per le donne.

Semplicemente per assuefazione.

Anche sul piano del rapporto *sociale*, l'attività sociale delle coppie è nettamente inferiore a quella dei single.

La perdita di vita sociale della coppia dovrebbe essere compensata da un buon rapporto di dialogo fra i coniugi.

Ma questo c'è davvero sempre?

La mia esperienza clinica dice di no.

Sul piano *affettivo* il rapporto di coppia dovrebbe dare la maggiore soddisfazione umana possibile.

È questa infatti, in assoluto, la motivazione principale del matrimonio.

Ma è proprio su questo piano, che il matrimonio presenta la sua maggiore fragilità.

La stragrande maggioranza, se non la quasi totalità, dei divorzi ha motivazioni affettive.

Perché?

Perché i giovani si sposano non per amare ma per essere amati.

Entrano nel matrimonio per prendere e non per dare.

Entrano cioè nel matrimonio con una personalità infantile e la convinzione assurda che nel matrimonio possano trovare conforto, assistenza, protezione, difesa, compagnia, amore.

Questo accade soprattutto alle donne perché la loro maggiore aspettativa sono la protezione e le coccole.

L'uomo, più materialista, si aspetta un pasto caldo ben cucinato, una casetta sempre in ordine, una donna calda nel letto a sua disposizione e una madre efficiente per i propri figli che gli risolva anche il problema di allevarli lasciandogli la libertà di occuparsi della sua carriera.

A proposito di libertà, diciamo subito che se non è sempre vero che il matrimonio è la tomba dell'amore è senz'altro sempre vero che il matrimonio è la tomba della libertà.

La libertà assoluta del single si azzera completamente.

Nel matrimonio e in generale nella famiglia (il che vale anche per i figli) nessuno è libero di fare quello che vuole.

Il perché è banale: si tratta di un gruppo sociale e come tale deve seguire delle regole di convivenza che necessariamente limitano la libertà individuale.

Il maritino non se ne può andare impunemente a fare il pokerino dagli amici e lasciare la mogliettina sola in casa a sorbirsi il pupo, perché la suddetta mogliettina può anche non dirgli niente per due volte ma alla terza gli fa una scenata e alla centocinquantaduesima scenata per pokerini, partite di calcio, uscite con gli amici (o amiche?) comincia a covare nei suoi confronti un rancore che finirà per esplodere in una bella separazione.

E la mogliettina può anche rompere le balle al maritino tutte le sere che arriva stanco morto a casa, con le menate dei figli che non hanno fatto il compito o hanno rovesciato la marmellata sulla moquette, ma dopo un po' il suddetto maritino si fa saltare i nervi e comincia a pestare i figli al minimo accenno di problema.

E dopo una decina d'anni di questa menata un bel giorno lascia la mogliettina con la casa, il cane e i bambini.

La macchina no, di solito se la porta via insieme allo stereo.

Questa penosa galleria di ordinaria follia familiare, che molti purtroppo vivono quotidianamente sulla propria pelle, dipende unicamente da un fatto semplice ma drammatico: entrambi i coniugi descritti sono dei bambini.

E per vivere felicemente non solo il rapporto di coppia ma l'intera complicata vita familiare occorre essere tassativamente muniti di personalità genitoriale.

Dovrebbero rendere obbligatoria la patente di genitore come la patente di guida.

Perché nel matrimonio non si deve entrare per *prendere* conforto, assistenza, protezione, difesa, compagnia, amore, ma per *dare* conforto, assistenza, protezione, difesa, compagnia, amore.

E dare conforto, assistenza, protezione, difesa, compagnia, amore è precisamente il mestiere del genitore, il quale anzi *gode*, a darli.

E non gliene frega niente della sua libertà.

Se l'è già goduta quando ha fatto l'adulto.

È per questo, che prima di sposarsi bisognerebbe vivere un congruo numero di anni come adulti e godersi la vita fino a scoppiare.

Da soli, naturalmente.
Fino a diventare genitori.
Poi, ci si sposa.
Tutto il contrario di quello che si fa normalmente.

Le coppie nevrotiche

Parliamo ora delle coppie nevrotiche.

Ossia delle coppie di nevrotici, che sono sempre *coppie sbagliate*, in qualunque modo le si assortisca.

Sono come i cavoli: puoi farli come vuoi, ma non ti verrà mai fuori una merenda.[1]

Le coppie nevrotiche, come qualunque matematico ti può confermare, dovendo moltiplicare i *due* membri della coppia per i *tre* tipi possibili di nevrotici, sono di *sei tipi*:

1 la coppia bambino-bambino,
2 la coppia bambino-adulto,
3 la coppia bambino-genitore,
4 la coppia adulto-adulto,
5 la coppia adulto-genitore,
6 la coppia genitore-genitore.

Contro *un* solo tipo di coppia sana, quella di bambino-adulto-genitore con bambino-adulto-genitore.

---

[1] Questa faccenda che non si possano fare i cavoli a merenda, non l'ho mai capita. Io una volta ho fatto il cotechino coi crauti, a merenda, e mi è venuto benissimo. È vero che poi alla sera non mi sono più sentito di mangiare niente, ma questo cosa c'entra?

È per questo, che le coppie nevrotiche sono molte di più delle coppie sane.

Ed è per questo, che le separazioni sono più dei matrimoni che durano.

Esaminiamole attentamente una per una, visto che sono così diffuse.

E così tragiche.

La coppia bambino-bambino

La coppia bambino-bambino è in assoluto la più disgraziata di tutte le coppie possibili.

È fatta di due pali piantati provvisoriamente nella sabbia, dove ognuno dei due si appoggia all'altro, ma dove al primo colpo di vento vanno giù tutti e due.

Intanto vediamo come si forma.

Cioè come diavolo fanno due "bambini" a mettersi insieme.

Premettiamo che il "bambino", ossia l'adulto nevrotico che si comporta da bambino, non è precisamente un esempio di aquila umana.

Se dovessimo mandare su un altro pianeta un rappresentante dell'intelligenza della nostra specie, egli avrebbe tante probabilità di essere scelto quante ne ha un coccodrillo di essere scelto come materasso.[2]

Quando un "bambino" incontra un altro essere umano

---

[2] Alcuni "bambini" si sono offesi quando ho detto loro che non mi sembrano delle aquile umane. Ma qui non parlo d'intelligenza intellettuale. Potrebbero essere anche degli Einstein. Qui parlo di *intelligenza affettiva*: cioè della capacità di capire di volta in volta l'infondatezza delle loro pretese affettive.

che gli presta una qualche attenzione, lo elegge unilateralmente e senza neppure dirglielo a suo genitore adottivo.

Immaginate cosa succede quando la cosa è reciproca, ossia quando entrambi i poveretti si scambiano per genitori.

Si innamorano come babbuini.

È quello che è successo a Romeo e Giulietta (che, ricordiamolo per chi non lo sa, avevano soltanto rispettivamente sedici e quattordici anni, il che la dice lunga sulla loro intelligenza).

Ma non è una cosa che dura.

Infatti poco dopo si sono ammazzati.

È esattamente quello che avviene normalmente nella realtà.

E sì, perché entrambi sono entrati nel rapporto di coppia con il preciso, inconfessato e indecente proposito di prendere, senza dare niente.

Perché nessuno di loro ha niente da dare.

Possono solo prendere e basta.

E quando si accorgono che l'altro non è disposto a dargli niente, che anche lui è lì per prendere, allora si incavolano come iene, si fanno delle scene strazianti rispetto alle quali quelle delle tragedie di Shakespeare sono delle comiche, e allora giù a farsi del male.

La famosa frase «Tu non sei come io credevo» a questo punto si spreca.

I "bambini" se la buttano in faccia reciprocamente almeno venti volte al giorno, e con questo, secondo loro, hanno risolto il problema.

E poi non venitemi a dire che il matrimonio fra giovani ("bambini") è una cosa bellissima e commovente.

Commovente sì, ma perché fa pena.

Perché la cosa più folle nel rapporto di coppia bambino-bambino è che non si vogliono lasciare, nonostante l'evidente constatazione che anche l'altro è un dannato bambino.

Perché nel loro intimo inconscio rovinato sono convinti (chissà perché) che l'altro possa cambiare, anzi che loro lo possano cambiare e trasformarlo in un genitore sollecito e premuroso.

Balle, naturalmente.

Ma con queste balle ci campano una vita.

Finché uno dei due muore.

Allora il superstite inizia finalmente una nuova vita felice, dove il morto diventa quel genitore che non ha mai saputo (secondo lui, voluto) essere in vita.

Perché i morti (chissà perché), proprio perché sono morti, diventano bravissimi e riescono a fare tutto quello che in vita non sono mai stati capaci di fare.

In particolare sanno fare benissimo i genitori.

Dei genitori perfetti.

Che non si arrabbiano mai.

Che non ti sgridano mai.

Che non ti rimproverano mai.

Che anzi ti stanno sempre a sentire senza mai ribattere, senza mai interromperti e soprattutto senza mai contraddirti.

E poi ti proteggono.

Cavolo, come ti proteggono!

Meglio dei vivi, che si fanno sempre i cavoli loro e hanno sempre qualcosa da fare.

I morti, infatti, cosa hanno da fare?

Hanno tutto il tempo che vogliono (l'eternità, purtroppo).

E allora tutto il loro tempo lo dedicano ad aiutarti.

E cavolo, come ti aiutano!

Ti fanno persino vincere un ambo e ti fanno ritrovare le chiavi che tutte le volte che vai a comprare le perdi e poi il panettiere o il macellaio le riporta dal tuo portiere

che te le ridà con quel sorriso da scemo che se non fosse
per il fatto che a Natale gli regali un panettone sarebbe
anche accompagnato da un bel «Ecco le sue chiavi che
ha perduto come al solito, signor Rinco».

La coppia bambino-adulto

Una coppia dove un "bambino" si accompagna ad un
"adulto" non resiste più di qualche mese (a volte neppure
qualche ora).

Di solito l'adulto ammazza il bambino.

Se è particolarmente in vena di generosità, lo abbandona per sempre in mezzo alla strada.

Tutto questo perché entrambi hanno preso un granchio.[3]

E non si tratta dello stesso granchio, bensì di due,
granchi.

Un vero casino.

Il "bambino" ha scambiato l'"adulto" per un genitore,
mentre l'"adulto" ha scambiato il "bambino" per un altro
adulto.

E allora, anche per entrambi loro, scatta la sentenza
ammazzasette: «Tu non sei come io credevo».

---

[3] Chissà perché, quando uno sbaglia, si dice che ha preso un granchio? Come fa uno a prendere un granchio per sbaglio? Mica si possono confondere facilmente con qualcos'altro, i granchi. Che so, con
un'orata o con un polpo. Soltanto un contadino altoatesino che ha bevuto troppa birra e che ha preso troppe botte in testa dalla moglie,
può confondere un granchio con un'orata o con un polpo. E poi, per
prendere un granchio bisogna infilare la mano dentro ai buchi degli
scogli, e uno non ce l'infila la mano dentro ai buchi degli scogli per
sbaglio, nemmeno se è un contadino altoatesino che ha bevuto troppa
birra e che ha preso troppe botte in testa dalla moglie. Mah!

Ma questa volta è una cosa seria.

Questa volta non è come per i "bambini" che se la rinfacciano venti volte al giorno come i bambini veri si dicono "scemo" o "genoano" ma poi continuano a giocare tra loro come se niente fosse.

Questi se la dicono al massimo dieci volte e poi si lasciano.

Perché proprio non si sopportano.

E come farebbe un bambino a sopportare una mamma-marine che quando lui ha bisogno che gli cambi il pannolino perché è pieno di cacca e gli scaldi il biberon perché ci ha una fame che non ci vede, lei (o lui) se ne va a fare delle inutilissime parate e delle ancora più inutilissime esercitazioni a fuoco lasciandolo, appunto, nella cacca?

E come farebbe a sopportare un bambino che urla perché ha il pannolino da cambiare e il biberon da scaldare, una/un cazzuta/o marine che sta per mettere una mina in un dannato nido di mitragliatrici prima che lo facciano secco con un colpo di mortaio e che come tutti possono capire non ha tempo da perdere dietro a facezie come un dannato lattante con il pannolino da cambiare, la cacca da pulire e il biberon da scaldare?

L'insostenibile disparità dell'essere fra bambino e adulto è alla base di tutto il contenzioso fra uomini e donne nelle comuni relazioni di coppia prematrimoniali.

Di solito lui si fa i cavoli suoi e non le fa le coccole che lei vorrebbe: non le telefona venti volte al giorno, non è affettuoso della serie ti apro la portiera quando scendi dalla macchina o ti dò il bacino dove ti sei fatta la bua.

Ma soprattutto *guarda* le altre donne.

E poi lei scopre che non si limita a guardarle.

Le tocca!

Anzi a dirla tutta se le fa!

E allora lei comincia giustamente a pensare che lui le racconti delle balle quando le dice che stasera non può uscire perché ha una riunione di lavoro o un incontro di calcetto.

Poi lo segue (le donne non sposate hanno sempre del tempo da perdere), ci va a vedere e scopre che aveva ragione a pensare che lui le racconta delle balle!

La riunione di lavoro è bionda e alta uno e settantatré.

L'incontro di calcetto invece ha i capelli rossi, tracagnotta ma con tante tette che se cade giù dalle scale non si fa niente.

Cosa che lei vorrebbe sperimentare subito per scoprire se è vero.

I pedinamenti, le perlustrazioni, gli interrogatori, le perquisizioni si sprecano.

Se sulle tracce dei delinquenti mettessero delle donne gelose invece che dei bravi ragazzi di poliziotti che fanno pure il loro dovere ma fondamentalmente se ne sbattono di quello che fa il delinquente, molti casi giudiziari irrisolti troverebbero immediata soluzione.

Nessuno è più assiduo, costante, instancabile, tenace, infaticabile, inamovibile, meticoloso, pidocchioso direi, di una donna gelosa.

La cosa pazzesca è che nonostante tutto questo tirocinio prematrimoniale che convincerebbe a desistere dal matrimonio persino un naufrago rimasto solo per trent'anni su di un isola deserta, la suddetta aquila umana, equamente divisa fra lei e lui, si sposa.

La coppia bambino-genitore

Uno potrebbe dire delle frasi come: « Ma questa è la coppia ideale! », oppure « Si sono incontrati la rava e la fava!», o meglio ancora «Abbiamo preso due piccioni con una fava!»

E invece no.

La vita è così.

Uno si inventa il massimo dell'acrobazia psichica, il capolavoro dell'orologeria patologica, la quadratura del cerchio della nevrosi a riflusso coniugale, dico io, il nevrotico "bambino" con il nevrotico "genitore", come dire: fatti uno per l'altro.

E invece no.

Ma allora il diavolo esiste!

E perché?

Perché un bel giorno il "genitore" si stufa di cambiare i pannolini al "bambino" e fare le notti in bianco per lui e lo manda a quel paese.

Perché l'ideale del nevrotico "genitore" non è cambiare i pannolini di un nevrotico "bambino" ma gongolarsi ammirato, adulato, osannato, esaltato, incensato, adorato, idolatrato, da masse di bambini prostrati, tutti con il pannolino asciutto e appena cambiato da un altro, possibilmente un servo che risulta sul libro paga di un amico banchiere con il quale il "genitore" va a cena ogni tanto facendo il magnanimo gesto di pagare il conto ma poi facendoselo pagare.

E invece il dannato "bambino" non soltanto non lo ammira, non lo adula, non lo osanna, non lo esalta, non lo incensa, non lo adora, non lo idolatra, ma, preso com'è dal suo assoluto, unico, inderogabile, ineludibile, inesauribile, insaziabile, bisogno di attenzione, di cure, di assistenza, di assicurazione, di protezione, di carezze, di coccole, di rimboccature di coperte, di cambio di pannolini e di biberon caldi, non lo degna di uno sguardo, di un complimento, di un «grazie», di uno «scusa», di un «prego», di un «bravo», ma non fa altro che ripetere fino alla nausea «Io, io, io, io, io, io, io, io, io, io, io, io, io, io, io, io, io, io, io, e ancora io!»

Esattamente quello che il "genitore" ripete dentro di sé duecento volte al giorno con una "E" davanti e un punto interrogativo dietro.

Cioè « E io? »

E voi capite che quando due "Io" si incontrano, si scontrano, rimbalzano e rotolano fino a capovolgersi. E diventano «Oi, oi!»

Il "genitore" rinfaccerà al "bambino" di essersi sentito succhiare il sangue, di avergli dato i suoi anni migliori, di avergli sacrificato la vita.

Il "bambino" rinfaccerà al "genitore" di non avere mai ricevuto niente da lui, di non essere stato mai compreso, mai assistito, mai protetto, mai rispettato, mai amato.

Nonostante questa cocente delusione, il "bambino" non vorrà essere lasciato.

Il "bambino", chiunque ci sia dall'altra parte, sia pure un coccodrillo, non vuole mai, essere lasciato.[4]

Farà carte false, per non essere lasciato.

Di solito a questo punto il "genitore" fugge via lasciando ogni suo bene al "bambino" pur di liberarsi da quella sanguisuga, ma il "bambino", dopo averle tentate tutte per riprendersi la sua vittima e continuare a succhiargli il sangue, una volta capito che tanto quello non ci sta più a fare il biberon umano, comincia a odiarlo e a perseguitarlo.

E allora investigatori, avvocati, giudici, carabinieri, vigi-

---

[4] Questa idea di accoppiare i "bambini" con i coccodrilli non è male. Ci risolverebbe con un colpo solo i due problemi della sovrappopolazione dei "bambini" e del rischio d'estinzione dei coccodrilli.

li urbani, poliziotti, psichiatri e infermieri del Neurodeliri sono mobilitati per dimostrare e sancire che il povero "bambino" è stato abbandonato da un "genitore" snaturato e meritevole delle più atroci condanne e punizioni.

A questo punto gli spettatori di questo dramma planetario si aspetterebbero naturalmente che fosse il "genitore" a tenersi i bambini veri, quelli nati per loro disgrazia da questa coppia infernale, vista la sua nevrosi, per sua natura più adatta alla bisogna.

E invece, per un'ironia della sorte che in tutta la Galassia affligge soltanto gli abitanti del pianeta Terra e quelli di un altro pianeta sfigato nella costellazione di Orione – la cui massima libidine è succhiarsi gli alluci di cui sono disgraziatamente sprovvisti –, è proprio il "bambino", il meno adatto, che finisce spesso per tenerseli.

Infatti egli trasferisce su di loro il ruolo di "genitore" non assolto soddisfacentemente dall'altro coniuge e quindi non li molla neanche quando hanno quarant'anni e vorrebbero portare via l'anima e farsi una vita loro (e magari, non avendo capito una mazza della vita, farsi anche una famiglia), perché il "bambino" distruggerà sistematicamente tutti i rapporti che loro cercheranno di costruirsi con altri, per impedirgli di sottrarsi alla carica onorifica di genitori che il "bambino" ha loro affibbiato a tradimento e a loro insaputa.

Tutto questo condito da sistematici, periodici e regolari pianti vittimistici e recriminatori che durano una vita, dove il "bambino" dimostra ai figli con argomenti circostanziati quanto inverificabili che il coniuge che l'ha abbandonato è il più orrendo mostro che abbia calpestato la terra dopo Gengis Khan e lo squartatore di Londra, che al suo confronto erano due poveri dilettanti dal cuore d'oro.

Ad esempio: non era presente quando lei partoriva nel dolore.

Oppure: non era presente quando lui affrontava la terribile prova dell'esame di patente.

Soltanto a tarda età, quando i figli saranno riusciti finalmente a liberarsi dalle catene che il "bambino" abbandonato ha inchiodato loro addosso, il che avviene di solito soltanto con la morte dello stesso, i disgraziati prenderanno coscienza che la vera vittima della situazione era in realtà l'altro genitore e allora andranno a chiedergli scusa sulla tomba, che per una sempre puntuale beffa del destino egli condivide con il "bambino" che gli ha succhiato il sangue per tutta la vita e che continua a succhiargli l'anima anche dopo morto: non c'è da stupirsi, allora, se il disgraziato a questo punto si incavola come un bue al quale dopo avergli tagliato le palle abbiano detto che egli è l'animale più amabile dell'universo.[5]

La coppia adulto-adulto

Anche una coppia dove entrambi sono sempre e soltanto "adulti", è una coppia a rischio.

Finché collaborano, finché hanno un nemico comune, un obiettivo comune per cui lottare insieme, va tutto bene.

Ma quando tutto questo viene a mancare, quando non hanno più nessun motivo per muoversi all'unisono, quando esce fuori che hanno gusti diversi, interessi diversi, obiettivi diversi, allora sono cavoli acidi!

Allora da collaboratori, da compagni della stessa squadra, si trasformano in competitori, peggio in avversari!

E allora, ognuno per sé e tutti contro tutti!

---

[5] Un maestro di questo tipo di presa per i fondelli è stato, come è noto, Giosuè Carducci con il suo famoso *T'amo, o pio bove*.

Che è il motto universale degli adulti.

Di solito cominciano con il discutere all'infinito.

Intere notti in bianco passate a parlare.

Dove lui casca dal sonno e lei si incavola perché lui non la sta a sentire.[6]

Poi passano alla strategia del silenzio.

Intere giornate di silenzio dove comunicano a gesti e mugolii.

E infine le liti.

Tutto il livore, la frustrazione, l'incomprensione, l'infelicità che hanno accumulato nel silenzio, dove hanno continuato dentro loro stessi a rinfacciare all'altro la loro sofferenza e la sua indifferenza senza avere neppure la soddisfazione di una risposta, viene allora scagliata sull'altro, che diventa la causa e l'artefice della rovina della loro vita.

Il limitatore della loro libertà.

Il loro carnefice.

Il loro nemico numero uno.

E allora si arriva alle botte.

Ai pronto soccorso nel pieno della notte.

Alle denunce ai carabinieri.

Agli appuntamenti con gli avvocati.

---

[6] Le donne hanno indubbiamente una maggiore resistenza fisica al sonno, perché hanno sulle spalle un allenamento di millenni nel vegliare i bambini con la cacarella notturna. Anche per quanto riguarda la resistenza allo sproloquio prolungato, superano l'uomo di varie lunghezze. Di quest'ultima loro superiorità non si conosce scientificamente la ragione, ma non è del tutto escluso che sia vera quella che sostengono loro, e cioè che l'uomo parla meno perché non sa cosa ribattere ai loro argomenti. Vero è che se parla sempre uno, all'altro non è che rimanga molto da fare...

Alle cause che non finiscono mai e ai figli da una parte e dall'altra che finiscono per odiare tutti e due.

Una vera guerra.

La "Guerra dei Roses".

Dove finiscono tutti e due morti.

La coppia adulto-genitore

La coppia adulto-genitore è come un'auto: può durare una vita come può sfasciarsi da un momento all'altro quando meno te l'aspetti.

Dura finché ognuno si fa i cavoli suoi.

O meglio finché l'"adulto", si può fare i cavoli suoi.

Finché cioè il "genitore" continua in cuor suo a considerare l'altro come un bambino a cui con generosa magnanimità concede dall'alto della sua incommensurabile saggezza e munificenza il dono del «fai quello che vuoi, tanto io sono superiore e tanto poi ritorni sempre da me».

Se il "genitore" è una lei, diventerà una campionessa mondiale di corna.

Portate comunque sempre con eleganza.

Se il "genitore" è un lui, le lascerà comprare (e pagherà) tutti i cappellini, tutti i nastrini, tutti i manicotti di visone, tutti i rivestimenti dei divani (che lei cambia ogni due anni), tutte le tende (che lei cambia ogni anno), tutte le auto (che lei sfascia regolarmente) e tutti i gioielli (se se lo può permettere) che lei vorrà.

Perché lui è munifico (e pagatore).[7]

---

[7] La sua filosofia, comune a tutti gli uomini arrivati e con grande esperienza di vita, è: «I denari spesi per le donne ti ritorneranno sempre; magari sotto forma di figlioli, ma ti ritorneranno!» (Tom Antongi-

Comunque, sempre, vacanze separate.

E letti.

Insieme, in società, sono un successone.

Lui ("genitore"), un gran signore.

Lei ("genitore"), una gran signora.

Lui ("adulto"), un uomo affascinante.

Lei ("adulta"), una donna affascinante.

Di solito non hanno bambini.

Non ne vogliono.

Sono soltanto complicazioni.

Stanno tanto bene così!

Hanno tutto quello che vogliono.

Sono felici.

Ognuno per i fatti suoi.

Tutto questo finché il "genitore", preso da un attacco di consapevolezza simile alla folgorazione sulla via di Damasco (che l'"adulto" giudica soltanto uno squallido e miserabile caso di pidocchiosi acuta), non si stancherà di fare la stazione di rifornimento affettivo o pecuniario di quello che lui aveva creduto il suo bambino o la sua bambina ma che in realtà è un dannato adulto che si fa i cavoli suoi.

E non gli porrà un « Basta! »

Allora l'"adulto" diventerà una belva.

Perché gli possono toccare tutto ma non la sua libertà.

Se è un lui, di farsi altre donne.

Se è una lei, di spendere e di farsi altri uomini.

E allora l'auto cadrà finalmente in pezzi.

E tutto d'un colpo.

ni (il segretario di Gabriele D'Annunzio), *L'immorale testamento di mio zio Gustavo*, Mondadori, Milano 1948.

Come il costruttore aveva astutamente calcolato avvenisse entro cinque anni.

Ma che invece è accaduto dopo quindici, come hanno subdolamente macchinato le cellule comuniste infiltratesi nella fabbrica durante la rivoluzione del Sessantotto.

E allora ognuno per conto suo.

L'"adulto" a fare finalmente l'adulto a tempo pieno senza avere sempre a casa ad aspettarlo quell'incubo di "genitore" che ha sempre qualcosa da ridire sulla sua vita e le sue amicizie (e le sue spese).

Il "genitore" finalmente libero dal carico di quel "bambino" indisciplinato che non stava mai alle regole e non gli dava mai il giusto riconoscimento per tutti i suoi sacrifici.

Giusto!

Ognuno per conto suo!

E nessun contenzioso.

Questi due sono così felici di lasciarsi, che non pretendono niente l'uno dall'altro, ed anzi sono persino capaci di rimanere in buoni rapporti e continuare a frequentare gli stessi amici (l'"adulto" naturalmente molti di più).

Una delle separazioni più belle che si possano concepire.

Un esempio per tutta l'umanità di come due coniugi, stufi di starsi sulle balle, si lasciano con civiltà, con decoro, con educazione, persino con cortesia.

Una vera perla zuccherata.

La coppia genitore-genitore

La coppia dove entrambi sono "genitori" è una coppia apparentemente stabile.

Sono entrambi magnanimi, munifici, generosi l'uno con l'altra.

Ma come si fa ad essere padre ad un padre?

E come si fa ad essere madre ad una madre?

Mi direte voi: basta essere un nonno oppure una nonna.

Risposta sbagliata.

Ve l'immaginate uno che si presenta a Dio e gli dice: «Ciao Dio. Sono tuo nonno»?

Vi risparmio la descrizione di Dio che s'incavola (non sarebbe la prima volta, comunque).

Veramente penoso.

No, è meglio lasciare perdere.

Non diteglielo, o meglio non fateglielo vedere.

Addirittura non fateglielo sapere.

Nascondetegli i certificati anagrafici.

Meglio distruggerli.

Il problema è che un nevrotico "genitore" si guarda bene dal rinunciare al suo ruolo coatto di "genitore" che lo fa sentire superiore all'altro (e, per inciso, a tutto il resto dell'umanità, ma qui questo è marginale) e capace (teoricamente) di dominarlo sia pure con la bonomia di un imperatore russo.

All'inizio va tutto bene.

Sono entrambi gentilissimi l'uno con l'altro.

«Prego, prima te, cara».

«Ma no, figurati, prima te, caro».

«Vuoi del caviale, tesoro?»

«Dopo di te, amore».

«Non sia mai detto. Prima te».

«Come hai trovato lo champagne, caro?»

«Delizioso, cara. E tu?»

«Oh, delizioso anch'io, caro. Naturalmente».[8]

---

[8] Non si capirà mai se veramente lo champagne è piaciuto anche a lei o se le ha fatto schifo. I nevrotici "genitori" sono sempre apparente-

Ai party sono un successone.

Finché rimangono separati.

Lui a un estremo della sala, lei all'altro.

Ognuno con il suo pubblico, la sua platea, la sua folla di fans adoranti.

Non frequentano mai feste dove ci sono meno di due-cento persone.

Non avrebbero pubblico sufficiente per tutti e due.

Al ritorno a casa, alle cinque del mattino, sono sfiniti ma felici.

Fare gli dèi stanca (gli altri, naturalmente), cosa credete?

È l'unico momento della giornata in cui rimangono soli.

Per questo, si affrettano ad andare ognuno nel proprio letto.

Che come nel caso della coppia adulto-genitore, sono rigorosamente separati, ma questa volta, visto che sono una coppia molto più ricca della prima, hanno anche ca-mere (e bagni) separati.

« È stata una serata deliziosa, non trovi cara? »

« Decisamente, caro ».

« Eri deliziosa, cara, nella tua mise color ravanello ».

« Trovi, caro? »

« Certo, cara ».

« Anche tu eri delizioso nel tuo smoking color. petto di piccione, caro ».[9]

---

mente compiacenti e soddisfatti. Coppie di questo tipo sono abbon-danti nel jet set (che non è un completo per aeroplano ma una società segreta di cui tutti hanno sentito parlare ma che nessuno ha mai cono-sciuto). Di solito sono: lei un'attrice (ex vincitrice di un concorso di bellezza), lui un produttore; oppure lei un'indossatrice, lui un indu-striale; oppure lei una ballerina, lui un creatore di moda; e così via.

[9] Il vocabolo "delizioso" in questa coppia si spreca. È seguito, in

« Trovi, cara? »

« Certo, caro ».

« Be', sogni d'oro, cara ».

« Grazie. Anche a te, caro ».

Cala il sipario.

Di solito, niente sesso: « Siamo inglesi ».

Questo idillio dura di solito venti o trent'anni.

È un record, per una coppia di nevrotici.

È la coppia di nevrotici più longeva della galleria.

Naturalmente sono agevolati dal fatto che, come la coppia adulto-genitore, di solito non fanno bambini.

Sarebbe un dramma diventare dei genitori veri.

Loro sono dei genitori nevrotici e ci tengono ad esserlo.

I bambini non sono capaci di essere un pubblico e dopo i quattro anni non sono più capaci di adorarti.

A volte sono persino maleducati.

Veramente orrendi.

Il problema nasce quando, ormai decrepiti, con le verruche, calvi, senza denti, e soprattutto superati dalla moda, non hanno più pubblico.

È sufficiente che soltanto uno dei due, non abbia più pubblico.

Allora diventa di un'invidia e di una gelosia così feroce nei confronti dell'altro che di solito comincia a fargli dei piccoli dispetti, come mettergli la stricnina nel tè o le schegge di vetro nella marmellata.

Poi passa all'attacco pesante.

Va a dire in giro che russa col fischio.

---

frequenza, dal vocabolo "orrendo", che viene però usato in riunioni con meno di cinquanta persone (cioè nell'intimità) e quindi in misura decisamente minore.

Oppure che spesso quando si siede gli sfugge dal fondo della schiena un getto di gas che dopo essersi annunciato con un suono fra la trombetta di capodanno e il basso tuba dell'orchestra della Scala obbliga gli astanti ad aprire tutte le finestre anche in pieno inverno e ad assoggettarsi ad un brusco abbassamento della temperatura di venti gradi per oltre dieci minuti, oppure, in alternativa, a indossare quelle maschere antigas usate nella prima guerra mondiale che sono così antiestetiche e ci fanno sembrare tutti dei sommozzatori, con conseguenti grosse difficoltà a continuare la conversazione.

Una vera e propria campagna di calunnie.

Di solito si arriva all'eliminazione fisica.

È sempre un buon affare.

Perché si eredita.

Di solito una bella fortuna.

Anche il pubblico.

Soprattutto, il pubblico.

Naturalmente si dirà sempre un gran bene, del caro estinto.

Anzi, il parlare del caro estinto, di quanto era generoso, di quanto era intelligente, di quanto era charmant, diventa un articolo importantissimo, del nuovo repertorio del "genitore" superstite, assolutamente indispensabile alla sua immagine pubblica di matriarca/patriarca magnanima/o e generosa/o.[10]

---

[10] La descrizione fin qui riportata di nevrosi da fissazione di un'unica personalità è volutamente estremizzata, per impressionare la lettrice/il lettore e spingerla/o a potenziare le sue personalità poco evidenti. Di fatto, queste spesso sono presenti ma non sufficientemente vissute.

La quarta personalità

Il seguire l'evoluzione naturale sviluppando la propria personalità adulta e quella genitoriale è vivere in modo naturale e completo la propria vita e darle un senso.

È essere armonicamente inseriti nel ritmo della natura e dell'universo.

È realizzare la propria funzione biologica naturale e quindi guadagnare l'armonia e il benessere.

Ma non basta.

Lo fanno normalmente tutti gli animali.

Ma noi siamo animali speciali.

Noi abbiamo una funzione evolutiva in più: il *pensiero*.

Non andremmo al di là degli altri animali se non usassimo questa funzione per andare oltre.

L'essere umano è infatti capace di un quarto stato dell'evoluzione psichica, cioè di una **quarta personalità**.

La quarta personalità naturale umana corrisponde, come le altre tre, ad una *funzione biologica*.

In particolare ad una *funzione psichica*.

È quella che noi chiamiamo comunemente la **coscienza**.

Della coscienza si è parlato molto, nella cultura occidentale.

Ne ha parlato per molto tempo la religione e ancora ultimamente la psicologia.[1]

La religione cristiana ha associato, giustamente, la coscienza con il *libero arbitrio*.

L'essere umano, ha il libero arbitrio, è libero di compiere il bene o il male, ma soltanto se attiva la sua *coscienza*.

Altrimenti rimane allo stato animale, non è cosciente, è un *automa*.

Questo principio è stato acquisito anche dalla legislatura, che condanna il reo soltanto nel caso in cui egli sia stato capace di intendere e di volere, ossia *cosciente*, durante l'esecuzione del delitto.

Ma cosa è, concretamente, la coscienza o *consapevolezza*? È la funzione cerebrale che ci permette di *autoosservarci*.

Con essa, noi diventiamo coscienti delle nostre emozioni, dei nostri pensieri, dei nostri atti.

Da osservatori del mondo esterno diventiamo osservatori di noi stessi.

Diventiamo *consapevoli*.

---

[1] La *coscienza* è stata chiamata da Roberto Assagioli "supercosciente": «Anzitutto occorre riconoscere che esso esiste; che, oltre all'inconscio inferiore e a quello medio, vi è un'altra vasta e superiore zona o sfera del nostro essere. Occorre cominciare con l'ammetterne la realtà, poiché esso è stato per lo più ignorato o trascurato dalla psicologia moderna. (L'indagine di questa strana lacuna costituirebbe un interessante tema di studio psicoanalitico e getterebbe molta luce sulla psicologia degli psicologi!) La sfera superiore della psiche è stata sempre conosciuta e fatta oggetto di studio da parte di filosofi e uomini religiosi. I migliori poeti e artisti hanno ricevuto più o meno consciamente ispirazione da essa. Ma negli ultimi decenni alcuni psicologi hanno cominciato a studiarla in modo scientifico, ponendo così le basi di quella che Frankl ha giustamente chiamata *Psicologia dell'Alto* in contrapposizione a quella del "profondo"». (R. Assagioli, *Principii e metodi della psicosintesi terapeutica*, op. cit., pag. 166).

La consapevolezza non è una funzione sempre attiva.

Anzi, per la maggior parte della nostra vita normalmente non lo è affatto.

Vi sono persone che non attivano mai, questa funzione.

Tuttavia essa a volte si attiva spontaneamente.[2]

In particolare, nei casi di incidenti gravi: ti ritrovi a guardarti dall'esterno, per così dire, e vedi te stesso agire come se fossi un altro.

È tipico infatti, in caso di pericolo di morte, la visione della propria vita che scorre come un film.[3]

Questo fa ipotizzare che questo processo costituisca per il nostro organismo una specie di *meccanismo di difesa*.

Una sorta di spersonalizzazione che mettendo momentaneamente in pensione l'Io impedisce che esso subisca ed introietti nell'inconscio ferite narcisistiche che ne possano compromettere l'equilibrio e quindi la sopravvivenza.

Una specie di valvola di sicurezza della tensione, che non deve oltrepassare il punto oltre il quale essa diviene un atto di auto-offesa.

[2] « Vi sono persone le quali, mediante strenui esercizi di preghiera o di meditazione, possono proiettare temporaneamente la propria coscienza (in modi corrispondenti al loro tipo psicologico) verso i livelli del supercosciente, giungendo talvolta molto vicini al SÉ transpersonale e anche in contatto con esso. Ma questa è una condizione transitoria, e, dopo tali intense esperienze la loro coscienza ricade al suo livello normale. Ciò avviene anche durante l'intensa concentrazione del pensiero astratto della quale sono capaci alcuni scienziati (soprattutto matematici) e filosofi. Lo stesso può avvenire in altri modi e circostanze. Le esperienze estetiche più alte e intense producono una specie di *estasi* e di elevazione della coscienza ». (R. Assagioli, *Principii e metodi della psicosintesi terapeutica*, op. cit., p. 169).

[3] « In situazioni di pericolo (ad esempio in guerra o in certi momenti delle ascensioni alpinistiche) avviene un potenziamento della coscienza, uno stato di "supercoscienza" nel quale vengono compiute azioni normalmente impossibili e atti eroici ». (R. Assagioli, *ibidem*).

Lo stato di consapevolezza è dunque un fenomeno *naturale*, anche se non frequente.

Per quanto straordinaria, infatti, è un'esperienza *naturale*, il divenire consapevoli del proprio stato emotivo o della propria personalità in una situazione particolarmente carica di tensione emotiva.

Ordinariamente, tuttavia, l'esperienza della consapevolezza si presenta come un *flash*, ha cioè una durata brevissima o comunque *temporanea*.

Questo, se rimane un processo spontaneo.

Ma come tutte le funzioni umane, anch'esso è in realtà un processo involontario-volontario.

Noi siamo cioè in grado di attivare il processo della consapevolezza volontariamente, mediante un *atto di volontà*.

Dobbiamo soltanto pensarci.

È sufficiente infatti che noi spostiamo la nostra attenzione dagli oggetti esterni alla nostra *reazione emotiva* e all'*immagine* che abbiamo di noi stessi in quel momento, ossia alla personalità che abbiamo assunto in quel momento, per realizzare lo *stato di coscienza*, la *quarta personalità*.

In questo modo, noi non soltanto entriamo nella nostra quarta personalità e diventiamo consapevoli delle nostre reazioni, ma diventiamo anche capaci di *dominarle*.

Infatti c'è una *legge psicologica* scoperta diversi secoli prima di Cristo dalla psicologia orientale[4] e ripresa recentemente dalla psicologia occidentale,[5] la quale afferma che

---

[4] Cfr. il mio libro, *La psicologia dello Yoga (lettura psicologica degli Yoga Sutra di Patanjali)*, op. cit., pagg. 97-101.

[5] Cfr. R. Assagioli, *Principii e metodi della psicosintesi terapeutica*, op. cit., pag. 28.

**noi siamo dominati
da ciò con cui ci identifichiamo
ma dominiamo
ciò con cui non ci identifichiamo**

Ed è proprio per questo motivo, che normalmente noi *siamo dominati dalle nostre emozioni.*

Perché normalmente noi *ci identifichiamo con esse.*

Ma le emozioni *negative* ci danno *sofferenza.*

Noi possiamo benissimo viverci le nostre emozioni, ma quelle negative, specialmente quelle *autolesive* e *depressive,* ci creano sofferenza e ci rovinano la vita.

Perché le emozioni *autolesive* e *depressive* sono le manifestazioni della *paura.*

E la paura è *sofferenza.*

La sofferenza, se prolungata, deteriora la nostra *qualità di vita.*

L'*eliminazione della sofferenza ricorrente* è precisamente quello che otteniamo con lo sviluppo della nostra quarta personalità.

Che non è priva di emozioni, nemmeno di quelle negative, ma semplicemente ha imparato a non farsi dominare da esse.

È infatti proprio attraverso un'evoluzione psichica e quindi biologica, lo sviluppo di questa funzione cerebrale particolare, la consapevolezza, che l'essere umano è divenuto in grado, diversamente dagli animali, di dominare le proprie emozioni negative e quindi di raggiungere la *saggezza,* che significa *serenità.*

Il rendere attiva in noi questa funzione psichica coincide quindi con il nostro realizzarci come esseri umani distinguendoci dagli animali.

La *saggezza,* la nostra quarta personalità, che è comunemente identificata con la consapevolezza e la serenità, è dunque l'obiettivo finale della nostra evoluzione psicologica naturale.

Storicamente, chi ha evidenziato ed enfatizzato lo stato di consapevolezza, di saggezza e di serenità è stato il *Buddha.*

Il Buddha ha affermato che lo stato di consapevolezza, saggezza e serenità costituisce *lo stato di buddhità* che tutti siamo in grado di realizzare.

Per usare le sue parole «**dentro ognuno di noi c'è un buddha**», ossia un illuminato, un saggio, colui che ha raggiunto la consapevolezza e la serenità.

un buddha
è un illuminato, un saggio,
colui che ha raggiunto la consapevolezza
e la serenità

Il buddha, l'illuminato, il consapevole, il saggio, è dunque la *quarta personalità* dell'essere umano, quella che l'essere umano ha in più rispetto agli animali.

la BUDDHITÀ
costituisce la nostra quarta personalità

La quarta personalità, il *buddha*, non si sottrae alla regola della *sequenzialità* alla quale sono sottoposte le altre tre personalità naturali.

Come non si può diventare genitori se prima non si è diventati adulti, così non si può diventare un buddha se prima non si è diventati genitori.

Infatti non si può realizzare la serenità, cioè il superamento di tutte le paure, se prima non si è realizzato il superamento della paura degli altri, che è, come abbiamo visto, l'acquisizione fondamentale del genitore.

Un buddha è colui che non ha più paure, non solo degli altri, che non teme perché ama, ma neppure della vecchiaia, della povertà, della malattia, della morte.

Come è possibile?

Perché è un saggio, perché ha capito che la vita è continuo cambiamento ed ha imparato ad accettare il cambiamento continuo della vita senza pretendere nulla di diverso da ciò che è.

Questa, è l'*illuminazione*, la consapevolezza, e questo è il segreto della saggezza, della serenità.

La sequenza completa dell'evoluzione psicologica umana è dunque la seguente

BAMBINO → ADULTO → GENITORE → BUDDHA

La personalità del buddha non è soltanto la conclusione della strutturazione delle nostre personalità naturali, ma anche quella che ci salva definitivamente dal rischio della *nevrosi* e quindi della *sofferenza*.

L'eliminazione della sofferenza è infatti lo scopo dell'insegnamento del Buddha e della sua dottrina.[6]

Ma la sofferenza si elimina soltanto con la consapevolezza del cambiamento e quindi con la realizzazione del *non attaccamento*.

---

[6] Si tratta ovviamente della sofferenza nevrotica, quella cronica, e non di quella episodica "naturale", come la perdita di una persona cara o un insuccesso temporaneo.

Questo ci permette di dirigere la nostra vita sottraendoci dai condizionamenti delle nostre emozioni negative.

La nostra quarta personalità naturale, il buddha, diventa quindi capace di un enorme potere: il potere di *dirigere consapevolmente e intenzionalmente la nostra vita*.

Nella sua quarta personalità, infatti, l'individuo percepisce se stesso come un'*osservatore impersonale*.

Diventa "la Coscienza" o "il Sé".[7]

Il *buddha*, l'illuminato, il consapevole, il saggio, la quarta personalità naturale dell'essere umano, è il culmine della nostra *evoluzione psicologica* che travalica quella animale, e quindi l'obiettivo *spirituale* che tutte le culture umane hanno indicato come la più alta meta naturale a cui l'essere umano può e deve arrivare.[8]

la quarta personalità
il BUDDHA
costituisce l'apice

---

[7] Nella letteratura *metafisica*, specie orientale od orientaleggiante, si fa distinzione fra *sé* e *Sé*. Il primo è la *coscienza individuale*, il secondo sarebbe la *coscienza cosmica*. Nella *psicosintesi*, già citata, che ha preso molto dalla psicologia metafisica orientale, la *coscienza*, proprio perché dotata di codesta caratteristica dell'*impersonalità*, viene considerata senz'altro *universale*, ossia comune a tutti gli individui, e quindi sostanzialmente coincidente con la *coscienza cosmica*, analoga all'inconscio collettivo di Jung, il quale anche, non a caso, mutua molti dei suoi argomenti dalla cultura orientale. Cfr. R. Assagioli, *Principii e metodi della psicosintesi terapeutica*, op. cit., pagg. 84-86.

[8] Perché propongo il Buddha e non il Cristo, come personalità spirituale da perseguire? Perché il Cristo è Dio e noi non possiamo diventare Dio. Ma possiamo diventare un buddha, che è una personalità umana. E poi questo è un saggio di psicologia, non un saggio religioso.

dell'evoluzione psicologica e spirituale
dell'essere umano

Di questa quarta personalità e di come fare per realizzarla parlerò diffusamente nel mio prossimo libro, che sarà intitolato appunto *Come diventare un buddha*.

Indice

GIORGIO NARDONE

CAVALCARE LA PROPRIA TIGRE

Gli stratagemmi nelle arti marziali
ovvero come risolvere problemi difficili
attraverso soluzioni semplici

L'arte dello stratagemma è un'arte antica, non solo perché è alla base di secolari tradizioni di saggezza, ma soprattutto perché appartiene agli esseri viventi: basta osservare animali e piante per registrare strategie di sopravvivenza, di difesa o di attacco. In questo libro Giorgio Nardone racconta e analizza queste abilità attraverso le tre tradizioni fondamentali che utilizzano gli stratagemmi come strumenti essenziali per la realizzazione dei fini: quella greca dell'astuzia, l'arte cinese della guerra e quella retorica della persuasione. Lo sforzo è stato quello di raccogliere i criteri di base allo scopo di evidenziarne la struttura, in modo che ogni stratagemma non rappresenti una semplice ricetta da copiare, ma un principio per costruire interventi specifici, che ci permettano di superare gli ostacoli e sciogliere inestricabili garbugli con orientale eleganza e, perché no, un pizzico di leggerezza.

PONTE ALLE GRAZIE

GIORGIO NARDONE

NON C'È NOTTE CHE NON VEDA IL GIORNO

La terapia in tempi brevi per gli attacchi di panico

I modi e i luoghi del panico sono i più diversi, tutti li conosciamo e forse ne abbiamo avuto esperienza qualche volta: la paura dell'altezza, della folla, dei luoghi chiusi, la paura di volare, di perdere le persone care, degli ascensori, del proprio aspetto fisico. Questo libro spiega l'innovativo modello terapeutico di Giorgio Nardone, che si è dimostrato sul campo il più efficace tra quelli finora elaborati, e svela i meccanismi che portano a questo tipo di patologia: una finestra aperta sugli enigmi della mente umana. Il metodo si basa su un'idea semplice ma efficace: conoscere un problema partendo dalla sua soluzione. Invece di interessarsi al *perché* i disturbi vengono a formarsi, Nardone si è interessato al *come* tali problematiche funzionano e ha concentrato il suo lavoro sulle soluzioni. Il protocollo si basa su raffinate tecniche di suggestione ipnotica, trabocchetti comportamentali e «benefici imbrogli» che aggirano la resistenza al cambiamento del paziente. Con risultati sorprendenti per efficacia, brevità e bassi costi economici. La metodica viene applicata in questo libro agli attacchi di panico, una patologia, purtroppo, tra le più diffuse e invalidanti, che minaccia e compromette la vita quotidiana, lavorativa o famigliare di moltissime persone.

PONTE ALLE GRAZIE

JÖRG ZITTLAU

GANDHI PER I MANAGER

*L'altra strada per un successo
illuminato e pacifico*

Gandhi, un uomo apparentemente fragile e disarmato, possedeva una combinazione unica di eloquenza, autocontrollo e tolleranza che gli consentì di sfidare le discriminazioni razziali e di sconfiggere l'impero britannico. Il suo carisma si fondava su una fiducia assoluta nella natura umana e sulla convinzione che «occhio per occhio rende il mondo cieco». Non temeva i suoi avversari ed era sempre pronto a perdonare i loro errori, non aspettandosi mai nulla in cambio della sua generosità.

Tutto questo, insieme a un'inflessibile capacità di autocritica, fece di lui un leader tra i più influenti al mondo, che non ebbe mai bisogno di ricorrere alle armi e alle minacce. Da Gandhi, dice Jörg Zittlau, abbiamo molto da imparare non soltanto sul piano umano, ma anche – e questo è sicuramente l'aspetto meno scontato – su quello organizzativo e gestionale. Questo libro mette in parallelo la vita, le idee e le azioni del Mahatma con le situazioni tipiche del mondo del lavoro, e ci insegna a trovare modi nuovi per risolvere i problemi e raggiungere il successo, con le sole armi della non violenza e della tolleranza.

PONTE ALLE GRAZIE

ESTHER PEREL

L'INTELLIGENZA EROTICA

La stabilità amorosa è la tomba del sesso, parafrasando, ma non troppo, un noto adagio. I media fanno a gara a lanciare periodici allarmi: una relazione monogama porta inevitabilmente, fatalmente, al calo del desiderio. Tutto ha un prezzo, e la sicurezza sentimentale si paga in svalutazione erotica. La cosa è talmente normale e universalmente condivisa da rientrare ormai nell'affollato mondo dei luoghi comuni.

Terapeuta della coppia e della famiglia, Esther Perel lavora quotidianamente con chi al torpore sessuale non si vuole proprio rassegnare. E ci suggerisce che tra le lenzuola la coppia moderna è forse *troppo* moderna e che democrazia ed eros non vanno poi così d'accordo: il desiderio ha bisogno di mistero, la passione di contrasti, la seduzione di sottili manipolazioni... la stabilità quotidiana va speziata con generose spolverate di rischio e un pizzico di gelosia.

In un libro politicamente scorretto, ricco di storie e di esperienze, Esther Perel distilla il concentrato della sua ventennale esperienza terapeutica, per aiutarci ad aprire la gabbia che ci costringe alla cattività sessuale e a trovare la strada per un erotismo domestico *ma non addomesticato*.

PONTE ALLE GRAZIE

Questo libro è stampato col sole

Azienda carbon-free

Finito di stampare
nel mese di settembre 2021
per conto della Adriano Salani Editore s.u.r.l.
da 🚂 Grafica Veneta S.p.A.,
Trebaseleghe (PD)
Printed in Italy